La collection des Plus Belles Histoires
Art et Culture

Woody Allen
un ovni à Hollywood

Guillaume Évin

Timée Éditions

ISBN : 978-2-35401-069-0
Dépôt légal : novembre 2008
© Timée-Editions novembre 2008

Imprimé en Italie

À Falcama

Introduction

Sa régularité force l'admiration : un film par an depuis près de 40 ans, parfois deux en même temps. Presque aussi fort qu'Hitchcock et Mocky. En France, le dernier Woody survient généralement à l'automne : c'est notre petite douceur de cinéphile avant les frimas de l'hiver. Certes, il y a des friandises mieux emballées que d'autres. Mais qu'importe au fond, l'essentiel est de retrouver l'homme aux lunettes noires.

Un intellectuel névrosé ? Un furieux narcissique ? Un hypocondriaque horripilant mais désopilant ? Un obsédé touchant quoique pathétique ? Woody Allen, c'est tout cela à la fois, et plus. Un dialoguiste brillant, un cinéaste atypique, un philosophe tourmenté, un dramaturge avisé et même un acteur convaincant. Bref, un touche-à-tout prolifique, aussi génial qu'inclassable, qui se dit lui-même « ni suffisamment artiste, ni suffisamment commercial ». Une sorte d'ovni hollywoodien en somme, un *mix* à la sauce américaine de Sacha Guitry et François Truffaut.

Et puis, un homme en psychanalyse depuis ses 24 ans ne peut pas être foncièrement mauvais... Près d'un demi-siècle sur le divan, ça force le respect. Taciturne, frôlant la dépression chronique, Woody reste une énigme : « Le plus souvent, je me sens assez déprimé. Le reste du temps, je me sens tout à fait déprimé. »

Pourtant, sans être jovial, il est toujours passé pour un comique aux yeux de son entourage. Parce qu'il manie l'autodérision comme personne, jongle avec l'absurde et dynamite les paradoxes. Et parce qu'il nous enchante même de ses obsessions : le sexe et la mort.

L'univers de Woody, c'est le cabaret et la radio, les chemises à carreaux. Mais aussi les éternelles lunettes noires, les impers à la Bogart, Ingmar Bergman et Sidney Bechet, ou encore la clarinette. Un instrument très pratique dont il joue depuis plus de 50 ans et fait sur mesure pour lui, dont il disait d'ailleurs : « C'est quand même plus facile à emporter en cas de pogrom ! »

Plus pratique aussi pour échapper aux autographes après un concert au Michael's, ce pub new-yorkais où il s'est longtemps produit les lundis soir avec son groupe de jazz. Depuis, le clarinettiste a fait don de son talent au si chic Café Carlyle (300 dollars la table !). Même jour, même heure, avec une interruption pendant son tournage annuel. Mais, de l'avis de Woody, « ça reste exceptionnel. Ça n'arrive pas plus de cinq ou six fois par an. » Car, avoue-t-il, « je déteste faire faux bond aux gars de l'orchestre » !

Sommaire

1 Une énigme à Hollywood

N'hésitant pas à dénoncer une certaine façon de faire du cinéma, méprisant les récompenses, doué d'une personnalité fantasque et d'un style tout aussi fantaisiste, Woody Allen est un réalisateur hors norme à Hollywood. Souvent boudé par les Américains, il a pourtant su se faire adopter outre-Atlantique.

Un ovni à Hollywood

Dans cet univers féroce qu'est la machine à rêves des hauteurs de Los Angeles, Woody semble un ovni. Et cela fait quarante ans que ça dure...

Il n'a pas changé. Ou si peu. Il est l'un des rares indépendants à garder une position unique à Hollywood : ses producteurs lui assurent un film par an – qu'il appelle avec humour son « projet d'automne » – et toute liberté dans le choix du casting et de l'équipe technique. Il peut même prétendre au *final cut*, ce fameux privilège du montage final que la machine américaine dénie généralement à ses metteurs en scène – « Ma version à moi est toujours celle qui sort en salles ». En contrepartie, une seule condition : ne pas faire exploser le budget alloué. Ce à quoi il se plie bien volontiers, dans une optique d'intérêt bien compris.

« Afin de travailler de façon régulière, je ne laisse jamais mes budgets monter trop haut, j'évite de me laisser entraîner par des idées grandioses », avouait-il ainsi en février 1995. « Quand j'ai un succès commercial, je ne m'en sers pas pour demander plus d'argent à mes producteurs. Si bien que quand je perds de l'argent, ils ne m'en veulent pas : ils perdent 2 millions de dollars, ce n'est pas dramatique. Et je continue à travailler. C'est très important pour moi d'être sous contrat avec une compagnie. Que se passe-t-il quand ce n'est pas le cas ?

Vous êtes quelqu'un comme Martin Scorsese, ou d'autres grands cinéastes comme lui... Vous avez terminé un scénario il y a cinq ans, vous allez voir un studio en disant : "J'ai besoin de 30 millions de dollars. C'est un grand film." Ils vous répondent : "D'accord, vous êtes un bon réalisateur... Mais il vous faut Jack Nicholson ou Dustin Hoffman." Alors vous appelez Nicholson, et vous déjeunez avec lui un mois plus tard. Il y réfléchit encore un mois avant de vous dire non. Alors vous essayez un tel, et ça dure des mois et des mois.

Et un jour quelqu'un dit : "Amenez un autre scénariste pour refaire la fin, parce que Dustin Hoffman accepte de le faire, mais il veut changer la fin." Des années s'écoulent, des réunions, des réécritures, avant que le tournage ne commence... Je ne connais pas cette situation. [...] Sitôt que je l'ai écrit, je donne le scénario à mon directeur de production qui est toujours là. Il revient deux semaines après, avec le devis. On le donne à la directrice de casting, on choisit la distribution, ça prend un mois et on le tourne. »

« Hollywood ? C'est une usine où l'on fabrique dix-sept films sur une idée qui ne vaut même pas un court métrage. »

Un ovni à Hollywood (suite)

Ni Allen corp., ni S.A.R.L. Allen, Woody a toujours su mener sa barque avec modération dans le bassin infréquentable d'Hollywood. C'est là l'un des ressorts de sa fascinante longévité dans le métier.

Ce principe de modération perpétuelle est couplé à une fine analyse du *modus operandi* des majors. Ni trop gourmand, ni trop ambitieux, comme s'il nous jouait le « Hollywood d'en-haut contre le Hollywood d'en-bas ». « J'ai changé de nombreuses fois d'interlocuteurs, mais je travaille toujours avec la même liberté au sein du système des studios. Je suis le seul », déclarait-il en 2003 au moment de la sortie d'*Anything else*, son troisième film chez Dreamworks. Les Spike Lee et autres Paul Mazursky – l'un de ses clones qui accèdera au statut de réalisateur de « comédies à la Woody Allen » – doivent, eux, mener des combats éreintants pour parvenir à faire le film de plus.

Parfois, bien sûr, la petite entreprise allénienne se grippe un peu. Au milieu des années quatre-vingt-dix, le cinéaste est pris dans la tourmente de l'affaire Soon-Yi, sa liaison scandaleuse avec la fille adoptive de sa compagne Mia Farrow. Abandonné par le système, il ne doit sa survie cinématographique qu'au soutien de deux proches : son amie de toujours,

Jean Doumanian, laquelle pilote la société de production Sweetland Films montée grâce au chéquier de son milliardaire de mari, Jacqui Safra. Et sa sœur cadette, Letty Aronson.

> « Existe-t-il dans la nature quelque chose de réellement "parfait", à l'exception de la stupidité de mon oncle ? »
>
> *L'Amour coupé en deux*

Sweetland Films produira sept opus, dont un avec la Dreamworks de Spielberg, de *Coups de feu sur Broadway* à *Escrocs mais pas trop*. Leur collaboration cependant finira mal, les deux parties s'accusant mutuellement d'escroquerie. Charmant ! À vrai dire, le ver était dans le fruit dès lors que Sweetland avait entamé les budgets du célèbre New-Yorkais : « Entre 1994 et 2000, le producteur Robert Greenhut, le premier assistant Thomas Reilly, le costumier Jeffrey Kurland et la monteuse Susan E. Morse quittent le navire

Tournage de *Coups de feu sur Broadway* (1994), produit par Sweetland Films, maison de production dirigée par Jean Doumanian avec qui Woody Allen a travaillé pendant plusieurs années avant de cesser toute collaboration en 2002, après un procès qui fit grand bruit aux États-Unis.

Woody, en désaccord avec les restrictions budgétaires de Jean Doumanian. Tous travaillaient avec le cinéaste depuis plus de vingt ans », constate Florence Colombani dans son ouvrage consacré au metteur en scène pour les *Cahiers du cinéma*.

Un ovni à Hollywood (suite)

Pour Allen, le monde est manichéen : il y a ceux qui font du cinéma et ceux qui se servent du cinéma. Et évidemment, il prétend émarger à la première catégorie...

Il y a longtemps que Woody Allen ne se fait plus aucune illusion sur la décrépitude du système, sclérosé par le principe du « précédent créé » et gangrené par la logique marketing, le « tout promotion ».

« L'être humain a précédé l'Infini, même s'il n'est pas encore muni de toutes les options. »

Destins tordus

Au point d'asséner dans les colonnes des *Cahiers du cinéma* : « Ceux qui dirigent le cinéma américain aujourd'hui ne s'intéressent plus aux films. Ils s'intéressent aux *deals*, aux négociations et au cortège de gratifications matérielles et de gadgets hallucinants qui les accompagnent et surtout, surtout, ils s'intéressent au marketing. Le cœur de leur travail n'est pas la production, mais la mise sur le marché. [...] Cela rend la situation très difficile pour les gens comme moi. »

L'homme peut faire preuve de plus de férocité encore, lorsqu'il fustige les dilettantes et les profiteurs du septième art dans ses entretiens avec Stig Björkman : « Il existe diverses formes de cinéma : des gens qui font du cinéma sérieusement, puis des gens qui se servent du cinéma pour mener un certain style de vie. Ils passent un an à rencontrer des scénaristes et à dîner avec des acteurs et des actrices, à faire faire des bouts d'essai aux plus jolies pour coucher avec elles, à organiser des réunions de travail et à convoquer encore d'autres scénaristes, etc. Ils passent un an ou deux à s'agiter ainsi et ensuite, quand ils ont fait le film, ils organisent des dîners avec l'équipe, des dîners avec le metteur en scène et les scénaristes, et font venir leurs amis qui se mêlent du film auquel ils ne connaissent absolument rien. [...] Une fois de temps en temps, mais vraiment très rarement, ça marche quand même. Mais c'est presque toujours un vrai désastre. C'est horrible de faire des films de cette façon. Ce ne sont que mondanités. »

Un ovni à Hollywood (suite)

Woody n'a jamais carburé à la gloire et aux statuettes dorées du milieu. L'envie et le travail renouvelés à chaque film lui suffisent pour assurer son autonomie.

Woody Allen n'a de cesse de tempêter contre les cupides qui assassinent le septième art : « Rares sont à Hollywood les réalisateurs sérieux, qui s'efforcent de faire des films intéressants en prenant des risques, et dont le but premier n'est pas de faire de l'argent. » Le gentil Allen sait alors se montrer impitoyable envers les besogneux, les cancres de sa profession, « les tâcherons qui moulinent à la chaîne les navets sortant chaque semaine aux États-Unis [...], des produits hollywoodiens fabriqués dans le seul et unique but de ramasser de l'argent ».

> **« Je ne veux pas atteindre l'immortalité grâce à mon œuvre. Je veux atteindre l'immortalité en ne mourant pas. »**

En fait, il se comporte comme un producteur-réalisateur : « Exact. Je suis à l'origine du projet et il reste mien », affirmait-il il y treize ans, au moment de la sortie de *Coups de feu sur Broadway*. « Je n'ai pas "besoin" de producteur. J'ai des producteurs qui mettent leur nom au générique, mais leur rôle est surtout dans les rapports avec les distributeurs, etc. [...] Les vedettes sont mes amis ou moi-même, c'est moi qui le réalise, la direction artistique et l'équipe sont là, c'est une unité autosuffisante. » Voilà, l'homme est en un sens un électron libre dans le système...

Woody se démarque de la masse aussi parce qu'il n'est pas mondain : ni vaniteux, ni avide de distinctions. La gloire n'est pas son carburant. « Il y a des gens, quand le film sort, qui vont à la première, et à la fête qui est organisée ensuite. Après, ils dévorent les critiques, et vont aux Oscars où ils prennent plaisir à voir leur travail acclamé. [...] Moi, tout cela ne m'amuse pas. Ça ne me fait pas vibrer. Lorsque je termine quelque chose, la page est tournée et je me mets à autre chose. » Dans le même registre, il ajoute : « Pour moi, le plaisir est dans le travail. [...] Le succès ne m'émoustille pas tant que ça. Il m'est souvent arrivé d'en avoir, et ce n'est pas très important. »

Avec *Coups de feu sur Broadway* (1994), Woody Allen réitère son indépendance d'esprit vis-à-vis d'un certain cinéma américain.

Coups de feu sur Broadway

une comédie de
Woody Allen

Un ovni à Hollywood (fin)

Et si sa discrétion légendaire dans le monde à paillettes du cinéma n'était que la conséquence directe de son tempérament dépressif ?

Peut-être ce dédain pour la gloire n'est-il que la contrepartie subie de son abattement chronique ? Une piste que ne rejette pas le patient Allen : « Le film sort ; il plaît aux spectateurs ou il ne leur plaît pas. Et je ne veux plus en entendre parler. J'ai fait le film, et j'en ai fini avec lui. Ma personnalité dépressive m'empêche de jouir d'un succès, comme elle m'empêche de me planter un poignard dans le cœur si le film ne marche

> **« La vie n'a aucun but. Rien n'est durable. Même les œuvres de Shakespeare disparaîtront quand l'univers se désintégrera. »**
>
> *Destins tordus*

pas. » Faux détachement ? Arrogance mal dissimulée ? Que nenni. Woody se charge lui-même du décryptage psychologique : « Pour que je reçoive un hommage qui me touche, il faudrait qu'on soit dans un autre monde. [...] On se dit "Il se croit au-dessus de tout ça". Mais je ne suis pas au-dessus. Soit je suis en-dessous, soit je suis à côté. »

Voilà pourquoi on ne verra guère l'homme aux éternelles lunettes noires faire son numéro de claquettes lors des premières ou des soirées. Il préfère les sécher, comme celle donnée au Whitney (Museum of American Art) lors de la sortie de *Manhattan*. Pas non plus de dîners en tête-à-tête avec Helen Hunt ou Charlize Theron. Bref, le style Bergman à Hollywood.

Même le soir des Oscars ⬤ était nominé, le petit h⬤ de jouer du jazz dans so⬤ an après avoir décroch⬤

Tournage du *Sortilège du scorpion de jade* (2001) avec Helen Hunt.

tuettes pour *Annie Hall*, il avouera ainsi : « Je sais que cela peut sembler affreux, mais gagner cet oscar pour *Annie Hall* ne signifiait rien pour moi. Je n'ai aucune considération pour ce genre de cérémo-nie. Je ne crois tout simplement pas qu'ils sachent ce qu'ils font. Quand on voit qui gagne – ou qui ne gagne pas – on voit à quel point toute cette histoire d'oscars n'a pas d'importance. »

Douce France…

C'est un fait : la France a toujours eu les yeux de Chimène pour l'ami Woody. Sans que, du reste, le principal intéressé ne sache très bien pourquoi…

« Il arrive que la France seule rapporte davantage que les États-Unis. » Il faut relire encore et encore les propos de Woody Allen pour s'en persuader, mais la vérité est là : ses films sont souvent appréciés sinon plébiscités chez nous – et dans les autres pays latins – quand ils sont boudés voire tout simplement ignorés là-bas. *Alice* (1990) a rapporté par exemple 8 millions de dollars en France, contre seulement 6,5 millions aux États-Unis.

Les raisons d'un tel décalage ? Le principal intéressé les cherche encore. Ne confiait-il pas aux *Cahiers du cinéma* il y a une quinzaine d'années : « Mes films sont particulièrement bien accueillis en France, en Espagne, en Italie ainsi d'ailleurs qu'en Argentine, je n'ai jamais compris pourquoi » ?

James B. Harris, l'ami et le producteur d'un certain Kubrick, ose une interprétation. Selon lui, les œuvres de Woody Allen seraient trop « branchées » pour le grand public US. Et l'homme de filer la métaphore jazzy avec sarcasme dans les colonnes du magazine *Positif* : « C'est comme jouer du jazz à un public qui ne se régale que de musique country. On sait que le jazz est surtout affaire de variations et d'improvisations sur des thèmes. [...] Il est clair, qu'il s'agisse de cinéma ou de musique, que le grand public veut toujours entendre la mélodie, jouée fort et net. Lorsque les variations et les improvisations prennent le dessus, le public

> **« Ce n'est pas que j'aie vraiment peur de mourir, mais je préfère ne pas être là quand ça arrivera. »**
>
> *Without feathers*

se sent perdu et manifeste généralement sa perplexité, pour ne pas dire son hostilité. Il ne peut plus suivre, en raison de son incapacité à retenir la mélodie originale en l'associant à ce qu'on lui joue en même temps. Inutile de dire qu'il n'est pas en état d'évaluer le savoir-faire ni la créativité de l'artiste. »

Woody Allen jouant de la clarinette à New York en 1978.

Douce France... (suite)

Pour le public français, Woody Allen est prêt à tout. Même à sortir de sa tanière et venir deux fois au festival de Cannes !

Woody n'est pas un ingrat. Pour son soutien quasi indéfectible, il gratifia deux fois la France de sa présence à Cannes : un geste inestimable, jamais vu en quarante ans de carrière. Sa première visite ne survient qu'en mai 2002, pour la présentation d'*Hollywood ending* en ouverture du festival. En retour, le pays hôte lui décerne cette année-là la Palme des Palmes ! Le cinéaste préféré des Français s'était déjà illustré en public deux mois auparavant, en déboulant pour la première fois de sa vie à la cérémonie des Oscars... Sa seconde apparition sur la Croisette, six ans plus tard, coïncide avec la présentation hors compétition de son dernier film, *Vicky Cristina Barcelona*.

Pourtant, le premier vrai contact de Woody Allen avec la France avait été cauchemardesque. C'était lors de l'hiver 1974-75 pour le tournage de *Guerre et amour*, sa farce napoléonienne. À défaut de Moscou, il s'était rabattu sur son deuxième choix : Paris. Mais, à partir de là, tout lui avait échappé... Le froid parisien provoqua des dégâts cette année-là. Woody glissa sur une plaque de glace devant la tour Eiffel avant de se... brûler en reculant

sur un projecteur. Il y eut aussi des chutes de cheval, des accidents de voiture, des poursuites avec les paparazzi sur les Champs-Elysées et d'autres mésaventures que l'Allen asocial n'était manifestement pas prêt à encaisser. En attendant, ce film loufoque, vaste parodie de Tolstoï, est le plus drôle du duo Woody Allen - Diane Keaton. C'est aussi une divine surprise au box-office, puisque pour la première fois les profits outre-Atlantique compensent allègrement les ventes aux États-Unis ; un phénomène qui signe pour longtemps la spécificité allénienne.

> **« Elle : Tu ne crois à rien. Ta vie est nihilisme, cynisme, scandale et orgasme ! Harry : En France, je serais élu avec un slogan pareil. »**
>
> *Harry dans tous ses états*

Cinq ans plus tard, Woody aura une vision nettement plus idyllique de la France. Pas très étonnant au fond, puisque son film *Manhattan* (1979) est encensé par les deux magazines les plus respec-

Woody Allen au festival de Cannes en mai 2002 et sa femme, Soon-Yi, avec laquelle il s'est marié en 1997.

tés de la profession : les *Cahiers du cinéma* et *Positif*. Pour ces deux monuments, Allen est le représentant de la politique artistique selon laquelle une seule personne, en l'occurrence un auteur, assume l'intégralité du processus créatif, de l'écriture à la réalisation en passant par l'interprétation.

Le plus européen des cinéastes américains

Ni suffisamment artiste, ni suffisamment commercial. C'est ainsi que Woody Allen se positionne dans la galaxie cinématographique. C'est surtout le plus européen des cinéastes américains.

La bienveillance dont jouissent ses œuvres en terres latines lui permet surtout de continuer... à être boudé outre-Atlantique à chaque nouveau film! Si l'Amérique s'est peu à peu détachée de lui, l'Europe se l'est approprié avec gourmandise. Entre Woody et le Vieux Continent, c'est même une vieille histoire qui remonte à son adolescence. Il confiait à Stig Björkman : « [...] Mes amis et moi avons tout de suite adoré le cinéma étranger ; il nous semblait infiniment plus mature que le cinéma américain. [...] Le cinéma européen – ou au moins les films européens que nous pouvions voir – était beaucoup plus adulte et dialectique. Il ne se limitait pas à de débiles petits westerns ou à de petites bluettes sentimentales où un garçon rencontre une fille, puis la perd et, finalement, réussit à la reconquérir. Nous avons donc aimé le cinéma européen. Il nous a beaucoup impressionnés. Il nous a ouvert les yeux. »

En retour, le marché européen dans son ensemble et français en particulier ne s'est pas montré insensible à cette marque d'estime. Au tournant des années quatre-vingt, depuis *Stardust memories*, il lui a même « sauvé la vie », de l'aveu même de l'intéressé. « Sans l'Europe, je ne ferais sans doute plus de films. Des films qui ont été des fours aux États-Unis ont rapporté pas mal d'argent, ou du moins, assez d'argent, en Europe, si bien que les pertes ont été minimes. [...] C'est *Bananas* qui m'a ouvert l'Europe, d'autant que l'Italie a suivi assez rapidement la France. Au bout de quelque temps, j'ai commencé à avoir mon public en Europe, et maintenant, je dépends complètement du public européen, comme l'a d'ailleurs prouvé *Ombres et brouillard*, qu'absolument personne n'est allé voir aux États-Unis, mais qui a remporté un certain succès en Europe. »

« L'homme exploite l'homme et parfois c'est le contraire. »

Clin d'œil suprême au Vieux Continent : dans sa liste des « 15 meilleurs films du monde », Woody Allen classe un seul américain : *Citizen Kane* d'Orson Welles, et quatorze européens dont une poignée de Bergman et de Fellini, deux Renoir, un Truffaut et un Godard.

Woody Allen interprétant le rôle de Fielding Mellish dans *Bananas* (1971), film qui l'a véritablement révélé au public européen.

② Débuts précoces

De son enfance, Woody Allen garde plutôt des souvenirs amers. Entre des parents improbables, des études chaotiques, loin des espérances de la famille, et un physique ingrat, le jeune garçon souffre de nombreux complexes. Seul réconfort face aux difficultés : les salles obscures. Dès son plus jeune âge, Woody Allen a le pressentiment qu'il est fait pour le cinéma.

Le fils de Groucho et Fernandel

Allan Stewart Königsberg était a priori génétiquement programmé pour faire rire : selon lui, son père ressemblait à Fernandel et sa mère à Groucho Marx...

New York. Manhattan. Central Park. Le triptyque fondateur. C'est là tout l'univers de Woody Allen, son Amérique à lui. Allan Stewart Königsberg est pourtant né le 1er décembre 1935 à Flatbush, dans les faubourgs de Brooklyn, à tout juste dix minutes de taxi de la cinquième Avenue. Un quartier venteux, grouillant et populeux à souhait, avec son lot de délinquants juvéniles et de petits trafics.

Son père ? Martin Königsberg, un juif modeste, fils d'un immigré russe ruiné par le krach de 1929, alterne les petits boulots de barman, taxi, courtier en joaillerie ou même bookmaker pour un ponte de la Mafia ! Sa mère ? Nettie Cherrie, fille elle aussi d'un immigré, non pas russe mais autrichien, caissière chez un fleuriste de Manhattan... ou comptable chez le même, selon les versions. Du premier, Woody Allen retient la vision « d'une sorte de nabot qui ressemble à Fernan-del » ; la seconde, elle, bien que svelte et rousse, n'est autre que « Groucho Marx tout craché, puisqu'elle parle exactement comme lui. » Fin des présentations.

> **« Mes parents ne voulaient pas de moi. Ils ont mis un ours en peluche vivant dans mon berceau. »**

Guère étonnant que le rejeton de ce couple de cinéma improbable ait eu quelques problèmes psycho-affectifs par la suite ! Dans *Prends l'oseille et tire-toi*, les parents du héros sont d'ailleurs affublés de masques de Groucho, parce qu'ils ont honte du « casier judiciaire de leur fils », nous avoue le narrateur. Sur ce point, Woody Allen lui-même est plus explicite encore lorsqu'il lâche : « Mes pa-

Les parents du narrateur dans *Prends l'oseille et tire-toi* (1969), déguisés en Groucho.

Woody Allen compare souvent son père à Fernandel. Le comique français est ici entouré de Claude Nollier (à gauche) et de Françoise Arnoul (à droite) (1952).

rents méritent d'être masqués. » Il est vrai que les Königsberg ont toujours eu des méthodes pédagogiques douteuses. Au moment de la sortie de *What's new, Pussycat ?*, Allen glissera en guise d'anecdote et de mauvais souvenir : « Quand j'étais enfant, mes parents me donnaient une pièce pour que je les laisse tranquilles. Maintenant, c'est moi qui leur donne de l'argent pour qu'ils me fichent la paix. »

Enfance cruelle

Woody Allen a allègrement puisé dans ses souvenirs d'enfance pour alimenter certains de ses films, dont *Radio days* en 1987.

Sans être calamiteuse, son enfance difficile est forcément pour lui une source inépuisable d'anecdotes féroces et grinçantes, qui nourrissent son épopée personnelle : « Enfant, je voulais un chien, mais mes parents étaient pauvres », confie-t-il un jour. « Alors ils m'ont acheté une fourmi. » Ou bien dans le même registre : « On me kidnappa. Mon père prit aussitôt ses dispositions : il loua ma chambre. »

À l'écran, certaines d'entre elles trouvent leur place dans l'un de ses projets les plus personnels : *Radio days* (1987). Dans ce film, où le metteur en scène égrène ses souvenirs, tout sonne juste. « Ce qui m'a inspiré, c'est le désir de rapprocher mes souvenirs des chansons qui ont marqué mon enfance. Tout est parti de là », explique-t-il à Stig Björkman. « J'ignore si j'ai toujours bien raccordé la bonne chanson au bon souvenir, mais je sais en revanche qu'il s'agit de véritables souvenirs, dont certains restent très vivaces en moi. »

Dans ce film, lors d'une scène poignante, le jeune héros monte dans un taxi et découvre que le chauffeur est son père,

lequel est très gêné. De l'avis de Woody, cet épisode « n'est pas vrai à 100 % » mais presque. « Chaque fois que je demandais à mes parents ce que faisait mon père, j'obtenais une réponse différente, car il changeait souvent de métier. Ils répondaient : "Ton père est un riche laitier", "Ton père travaille en ville", "Il est dans les affaires". Je n'obtenais jamais de réponse claire. »

Chez Woody Allen, la réalité est parfois plus cruelle que la fiction. À 50 ans passés, l'artiste confiera ainsi à son biographe « officiel », le Canadien Éric Lax, devant sa propre mère : « Je me souviens quand j'étais petit, tu me frappais tous les jours. » Dans *Wild Man Blues*, le documentaire de Barbara Kopple qui lui a été consacré en 1997, Allen réitère son accusation, confessant : « Elle m'a giflé chaque jour de ma vie. » Bref, Nettie a la main leste. Et c'est le petit Woody, davantage que sa sœur Letty, qui fait les frais de cette « aptitude » maternelle !

Pour son quinzième film, *Radio days* (1987), Woody Allen s'inspire de ses souvenirs d'enfance et évoque les rêves d'une famille au rythme d'une radio locale.

« Tout ce qui est bon selon les parents ne l'est pas. Le soleil, le lait, la viande rouge, le collège. »

Annie Hall

Tête de bois

Pourquoi « Woody » ? L'origine du nom de scène qu'Allen s'est choisi au début des années cinquante est à l'image du personnage : controversée et âprement discutée.

Le petit Allan Königsberg n'aime pas l'école. Et elle le lui rend bien. Le garçon refuse les devoirs, s'enfonce dans une médiocrité crasse, frôle la correctionnelle : « J'étais nul en orthographe, encore pire en grammaire et je haïssais mes profs. [...] Mes parents étaient si souvent convoqués qu'ils finissaient par être connus de tous les autres élèves. » Bref, le cancre intégral, totalement inculte selon les normes académiques.

« Le gros homme : Vous avez étudié la mise en scène à l'école ? Sandy : Non, non, je n'ai pas étudié à l'école. C'est moi qu'on a étudié. »

Stardust memories

Lui-même d'ailleurs se livrera bien plus tard à une piquante critique du système scolaire lorsqu'il écrira : « J'ai suivi des cours de lecture accélérée. J'ai réussi à lire tout *Guerre et paix* en vingt minutes. Ça parle de la Russie. » Plus simplement, il avoue sans fausse honte : « Jusqu'à 15 ans, je n'avais jamais lu. Je n'aimais que sortir dans la rue et y jouer au ballon. »

C'est ainsi qu'on le voit traîner dans Flatbush, à rejouer sans relâche les matchs de baseball de ses idoles... une batte à la main. D'où le sobriquet qui ne le quittera plus, puisque woody signifie « tête de bois » ! Une légende différente veut que son surnom ne soit que le reflet de son admiration dévorante pour le clarinettiste Woody Herman. Selon une version moins romantique, son nom de scène viendrait d'une banale dérive sémantique : Allen étant une prononciation plus populaire d'Allan. Enfin, une dernière explication plus prosaïque tient à la détermination des Juifs d'angliciser leur nom. On avait déjà vu Isadore Demsky devenir Kirk Douglas et Emmanuel Goldenberg basculer en Edward G. Robinson.

Quoi qu'il en soit, dès 1952, même ses parents oublient son vrai nom. Pour tout le monde, il n'est plus que Woody Allen.

Woody Herman,
clarinettiste qui aurait
inspiré à Woody Allen
son nom de scène.

Déprime scolaire, fantasmes sportifs

Le jeune Woody n'était guère doué pour les études, mais ne l'était guère plus pour la boxe, qu'il rêva un moment de pratiquer.

Allan Stewart Königsberg a long-temps été fâché avec les livres. À sa décharge, on peut préciser que la public school 99 de Flatbush tenait plus de l'austère caserne de pompiers que de la pimpante petite école de quartier. Mais son esprit frondeur fit le reste... « Même quand je ne lisais encore rien d'autre que Donald Duck et Batman, j'avais déjà un vrai style en composition à l'école. Il n'y avait pas une semaine où ce n'était pas mon devoir qui était lu en classe. »

« J'ai été expulsé du lycée pour avoir triché pendant un examen de métaphysique ; je lisais dans les pensées de mon voisin. »

Standup comic

Pour compenser, le garçon rêve de gloire sportive et s'invente un destin de joueur de baseball professionnel, même si, comme le confie son ami d'enfance Jerry Epstein à John Baxter, « sur le terrain, face à d'autres équipes, il n'était pas très bon. [...] Il manquait de coordination. »

Qu'à cela ne tienne, Woody s'imagine alors boxeur, catégorie poids plume. Et postule même aux Golden Gloves, une compétition amateur ! Heureusement, son père, Martin, a le courage de ne pas céder : il refuse de signer les papiers nécessaires. Sans doute avait-il compris au vu des « résultats » de certaines bagarres de cour de récréation que son fils finirait broyé.

Après la PS 99 vint le temps du lycée Midwood, puis celui de la New York University (NYU)... où il ne resta qu'un an, tant son cursus était calamiteux. Il séchait quasiment la moitié de ses cours – parfois même l'autre moitié – et pondait ses devoirs trimestriels la veille pour le len-

Vue de Manhattan : Woody Allen passa une année à la New York University.

demain. Tant et si bien qu'il fut renvoyé de NYU, la honte suprême s'agissant d'une université déjà taxée de laxisme. De quoi désespérer un peu plus ses parents, qui ne rêvaient pour lui que de cabinets d'optométrie ou d'avocat !

Né dans un cinéma

Pour avoir trop fréquenté les salles obscures durant son enfance et son adolescence, le jeune Königsberg a voulu toute sa vie prolonger ses rêves sur grand écran.

Woody est quasiment né dans un cinéma. Peut-être était-ce le Midwood, celui qui avait appartenu à son grand-père avant la Grande Dépression ? Ou bien le Patio ? À moins que ce ne soit le Kent, qui servit de décor pour *La Rose pourpre du Caire*. Son initiation pour le moins précoce remonte à ses 5 ans. La légende veut même qu'il ait vu *Blanche-Neige* à 3 ans.

« Des erreurs, j'en ai fait. D'abord, je suis né. Première erreur ! »

« À l'époque, on racontait que le cinéma abîmait la vue, et autres sornettes. Tout ça ne rimait à rien. [...] Moi, j'ai toujours détesté l'été, détesté la chaleur, détesté le soleil. J'avais donc pris l'habitude de me réfugier dans les salles climatisées. Et parfois, j'y allais quatre, cinq ou six fois par semaine, ou même chaque jour. [...] Mais en hiver, en période scolaire, c'était autre chose ! On n'avait le droit d'aller au cinéma qu'en fin de semaine. Alors, généralement, j'y allais et le samedi et le dimanche, et parfois même le vendredi après-midi, en sortant de cours. »

Dans son quartier où ont poussé pas moins de 25 salles, il voit tout : Humphrey Bogart et Gary Cooper, Fred Astaire et James Cagney. Et bientôt les Marx Brothers, mais aussi Carole Lombard et Robert Montgomery. Rien ne lui échappe. Tout le captive. Même si ses préférences l'orientent plutôt vers les comédies romantiques et les films policiers... Les films noirs, eux, l'assomment, sauf bien sûr *Assurance sur la mort*, le chef-d'œuvre absolu de Billy Wilder, et *Pendez-moi haut et court !* de Jacques Tourneur avec Robert Mitchum et Jane Greer.

Extrait de *Pendez-moi haut et court !*

Extrait d'*Assurance sur la mort* de Billy Wilder, l'un des rares films noirs appréciés par Woody Allen.

En attendant, dès 5 ans, pour avoir trop regardé le film de cape et d'épée *The Black Swann* avec Tyrone Power, il rêve du cinéma. À 8 ans, il se voit déjà réalisateur : « En regardant [...] un film de pirates, je m'étais dit : "Bon sang, je pourrais faire un film comme ça !" » Quand il sort à Manhattan, Woody se dirige encore au cinéma. Et le voilà à écumer les salles obscures de la 42e rue : le Laffmore et ses comédies chaplinesques, le Globe et ses westerns, sans oublier les géants de Broadway tels le Paramount, le Capitole ou le Roxy. Enfin, c'est bien simple, à 15 ans – c'est du moins ce qu'il déclarera en mai 2005 à Éric Lax – il considère qu'il « aurait sans doute pu diriger un film », car il avait « l'instinct pour ça ». Il est vrai qu'il lui arrivait d'en voir entre douze et quatorze par semaine.

L'immarcescible Olympia

C'est une liaison de plus de cinquante ans. Elle ne l'a jamais quitté, ni trahi. C'est avec cette solide allemande qu'il a pondu ses meilleurs scénarii. Son nom ? Olympia.

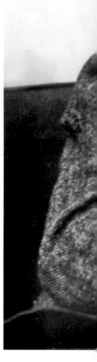

On dit de lui qu'il a su écrire avant de lire. Le fait est que le petit Allan avait un don pour ficeler les histoires ; au fond, c'est un « romancier par l'image ». Il le revendique d'ailleurs : « J'aime l'idée de tourner un film comme on écrit un roman. J'ai toujours eu l'impression d'écrire sur pellicule. » Pour lui, l'écriture est une phase grisante plutôt que fastidieuse.

Woody Allen possède deux qualités essentielles : il pense abondamment et écrit allègrement. Un scénario est donc pour lui un plaisir rare. N'avoue-t-il pas à Stig Björkman : « Écrire me procure une vraie jouissance» ? Seul problème, tous les six ou sept films, il finit par se sentir un peu seul à sa table. Il se tourne alors vers un vieil ami tel que Marshall Brickman ou Doug McGrath.

Allen déploie son imagination fertile et son intelligence subtile sur une antique Olympia portable, sa première machine à écrire achetée 40 dollars pour ses 16 ans. « Il suffit de la voir pour être sûr qu'elle est de fabrication allemande : elle a tout du char d'assaut. Pour moi, 40 dollars représentaient une petite fortune, à l'époque. J'avais donc demandé au marchand si cette machine était solide. Il m'a répondu qu'elle nous survivrait sans doute. Il avait raison. [...] Je ne tape jamais rien sur une autre machine. C'est une pure merveille mécanique. » À 50 ans passés, la belle n'a toujours pas pris une ride : « Elle n'a pas une éraflure. On dirait qu'elle est neuve », admirait son heureux propriétaire au printemps 2005.

Cela étant, l'éclat et la longévité de son Olympia ne lui doivent pas grand-chose. Et Éric Lax d'éventer le secret : « Pendant ses premières années d'écriture, Woody ne savait pas changer le ruban, et devait inviter à dîner quelqu'un dont il savait qu'il était capable de le faire. Au cours de la soirée, comme si de rien n'était, il demandait : "Tiens, tu ne pourrais pas me donner un coup de main ?" »

« Et comment puis-je croire en Dieu alors que, la semaine dernière seulement, je me suis pris la langue dans le ruban d'une machine à écrire électrique ? »

La machine à écrire, instrument indispensable pour Woody Allen, ici dans *Le Prête-nom* (1976).

À peine bouclé le premier jet de son histoire, le maître s'empresse ensuite de l'annoter et de le corriger. Puis il le toilette une seconde fois, avant de le transmettre à une dactylo. Et le tour est joué, le prochain film est là. « Mes accords avec la production stipulent clairement que dès ce jour, nous entrons en phase de préparation. [...] Dès que le texte sort de ma machine, on démarre ! »

③ Parlez-vous Woody ?

Allure dégingandée et lunettes noires,
le personnage Allen n'a pas fini d'étonner.
Se mettant souvent en scène dans ses films,
il s'est forgé au cours des années une identité
propre où humour et psychanalyse sont devenus
une marque de fabrique. Mais la vie de Woody
Allen est-elle vraiment si rocambolesque ?

Dr Woody et Mr Allen

À l'orée des années soixante-dix, Woody Allen a compris qu'il devait se façonner un personnage pour se distinguer de la masse des comiques.

Woody Allen est indissociable d'une image qu'il s'est créée dès l'aube de sa carrière. Parmi les éléments de sa panoplie : les lunettes noires à épaisses montures que portait déjà un certain Mike Merrick. Il fut son compagnon d'écriture au début des années cinquante, au sein de l'écurie à jeux de mots de l'humoriste Earl Wilson.

En fait, le personnage « Woody Allen » est véritablement né il y a quarante ans au moment de la sortie de la pièce *Play it again, Sam (Tombe les filles et tais-toi)*. Jusqu'en 1968, l'artiste soignait son look. Sur scène ou sur les plateaux de télé, il se montrait volontiers caustique et cassant, spirituel et élégant. Aux yeux du public et selon John Baxter, « il ne devait jamais dormir seul bien longtemps ».

Et puis, l'artiste comprit qu'il lui fallait trouver autre chose, un avatar irrésistible parce qu'improbable. Pourquoi ? Parce qu'il était devenu une célébrité sans avoir fait la preuve de sa personnalité. Woody devint alors celui que l'on adore voir au cinéma : un être plaintif et tourmenté, indécis et maladroit, libidineux bien que sexuelle-ment peu attirant. Sa coiffure nette céda la place aux cheveux plats, dispersés mollement sur le crâne. Ses épaules arrondies s'affaissèrent un peu plus. Les pantalons en velours côtelé, les pulls froissés et les chemises à carreaux inondèrent peu à peu son vestiaire. Si bien qu'un journaliste de *Life* parla un jour de style « Greenwich Village épuisé ». L'expression fit florès, et Woody Allen se confond désormais complètement avec sa créature. Même sa psychanalyse est un gimmick, une marque de fabrique. Un prétexte à « étaler des complexes amusants » et non « un authentique appel au secours » (dixit John Baxter). Bref, une coquetterie de star névrosée.

Alors que le vrai Mr Allen est quasiment tout le contraire de cette façade : sérieux, méthodique, appliqué, captivé par l'écriture et la littérature. « Je ne suis pas si stupide que l'image que je donne pour faire rire. Ma vie n'est pas une série de catastrophes amusantes. Elle est beaucoup plus banale », indique-t-il à Éric Lax lors de l'une de leurs multiples conversations. « Je ne suis crédible que dans certains rôles, comme un couillon d'intellectuel citadin... »

« Évidemment,
la science nous a
appris à pasteuriser
le fromage. Mais
quid de la bombe
à hydrogène ? »

L'as du divan

Que serait Allen sans sa palanquée de psychoses et névroses de toutes sortes ? Woody a toujours fréquenté les psys, et les a toujours convoqués dans ses films.

Woody Allen a toujours eu trois cibles favorites : la psychanalyse freudienne, la tradition juive et la philosophie. « Pouvons-nous connaître l'univers ? Mon Dieu, c'est déjà suffisamment difficile de trouver son chemin dans Chinatown ! » Ou bien cette maxime définitive, implacable : « Non seulement Dieu n'existe pas, mais essayez d'avoir un plombier pendant le week-end ! »

> **« Mes films sont une sorte de psychanalyse, sauf que c'est moi qui suis payé, ce qui change tout ! »**

Du cinéaste new-yorkais, on peut dire qu'il verse dans la philosophie existentialiste ; « c'est du reste le seul thème qui m'intéresse », a-t-il un jour confié à son confrère Stig Björkman venu l'interviewer. « Les seules questions dignes d'intérêt sont les questions existentielles – si galvaudé que semble aujourd'hui ce thème. À chaque fois que l'on traite d'autre chose, on se limite délibérément. Ce faisant, on peut traiter de sujets très intéressants, mais à mes yeux, pas des plus profonds. »

Son rapport avec Freud est ambigu. À vrai dire, notre homme est entré en psychanalyse en 1959 comme on entre en religion : avec toute la ferveur des convertis. Résultat, la plupart de ses films comportent au moins une scène sur le divan sinon davantage ! De *Annie Hall* à *Harry dans tous ses états* en passant par *Zelig*, *Une autre femme*, *Alice* ou *Tout le monde dit I love you*. Si Woody a pu recycler ses propres psychoses dans ses œuvres, sa psychanalyse interminable ne semble pas en revanche d'une grande efficacité médicale. Au début des années quatre-vingt-dix, pendant l'affaire sentimentalo-sexuelle avec la fille adoptive de Mia Farrow, les psychiatres auront beau

jeu d'expliquer que le patient Allen ne suivait pas une thérapie dont le but est de régler un problème, mais seulement une analyse qui aide à vivre avec ledit problème.

Manhattan (1979) : dans la plupart des films de Woody Allen, la scène du divan est un passage obligé, témoignant de la fascination du réalisateur pour la psychanalyse.

Le ludion philosophe

Le comique de Woody Allen repose essentiellement sur le contraste saisissant entre un corps malingre, un peu empoté, et un esprit vif, débitant les bons mots en rafale.

Woody Allen ou l'art du pathétique induit ; une sorte de ludion philosophe un peu déprimé. « Ma mère m'a toujours dit que j'étais un petit garçon joyeux jusqu'à l'âge de 5 ans mais qu'après, il avait dû se passer quelque chose qui m'avait aigri. » En soi, le personnage est déjà tout un programme. Foster Hirsch note qu'il « s'est développé à partir du potentiel comique de son apparence et de ses origines ». Tout en lui invite au fou rire. Ses faux airs de premier de la classe, d'anti-héros type. Le phraseur binoclard que les garçons méprisent et que les filles évitent. Une silhouette un peu gauche lâchant des tirades désopilantes, devenue le bouffon de l'élite intellectuelle new-yorkaise.

Dans le portrait qu'il brosse de lui, Gilbert Salachas note ainsi : « Une partie de son comique est fondée sur l'étonnant paradoxe entre la nonchalance apparente du corps et l'agilité de l'esprit [...] Même au repos, même sans intention précise, le gag existe à l'état latent.» On rejoint là l'avis de Woody sur l'artiste qu'il admirait tant, Groucho Marx, mais qui s'applique au fond à lui-même : « Quand je dînais avec Groucho, il suffisait qu'il ouvre la bouche pour être drôle, sans effort. Le contenu même de ses propos n'y était pour rien. Mais il y avait quelque chose dans son débit et dans ses intonations qui était par essence comique. »

Maintenant, les ficelles de l'humoriste sont classiques : l'autodérision et le manque de confiance en soi, les infortunes conjugales et les conquêtes féminines, la lâcheté et la peur. « Bref, le vieux fonds des comiques », comme il le confie à Stig Björkman. Woody Allen

Groucho Marx.

« La plupart du temps, je ne rigole pas beaucoup. Et le reste du temps je ne rigole pas du tout. »

Le Sortilège du scorpion de jade (2001), l'une des œuvres les moins appréciées du cinéaste.

a surtout un atout maître à jouer : son sens inné des dialogues, vifs et inspirés, où l'on passe en quelques mots du rationnel à l'absurde. « Pourquoi nos jours sont-ils comptés au lieu d'être classés par ordre alphabétique ? »

Et pourtant, en tant qu'acteur, Allen sait se montrer intraitable lorsqu'il confesse à Éric Lax : « Je suis un comique bébête, un comique bas de gamme. » Il prouve par exemple par A+B que la piètre qualité de son *Sortilège du scorpion de jade* (2001) est imputable à sa seule prestation scénique déplorable : « Je crois que j'ai eu tort de jouer le rôle principal. [...] Je n'étais pas à ma place. [...] À mon avis, j'ai entraîné tout le monde dans le naufrage de ce film. »

Un pasticheur né

Avant de s'attaquer à des films dits « sérieux », Woody Allen a d'abord sévi dans un genre taillé à sa mesure : le pastiche.

Woody Allen est un comique qui a fini par passer derrière la caméra. Mais avant cela, l'homme a eu tout le loisir de faire montre de ses talents d'humoriste via plusieurs recueils, notamment un particulièrement féroce paru en 1971 et intitulé *Getting even* (« règlement de comptes »). Deux ans plus tard, l'ouvrage sortira en France sous le titre éloquent *Pour en finir une bonne fois pour toutes avec la culture*. Au cœur de celui-ci, une pépite : « La Vie d'un Sandwich ».

> **« J'ai pris un cours de lecture rapide et j'ai pu lire *Guerre et paix* en vingt minutes. Ça parle de la Russie. »**

« 1741. Vivant à la campagne sur un petit héritage, [le comte de Sandwich] travaille jour et nuit, économisant souvent sur les repas pour acheter de la nourriture. Sa première œuvre achevée – une tranche de pain, une tranche de pain par-dessus et une tranche de dinde couronnant le tout – échoue lamentablement. Amèrement désappointé, il retourne à son laboratoire et repart à zéro. 1745. Après quatre années de labeur frénétique, il a la conviction de frôler le succès. Il présente à l'approbation de ses pairs deux tranches de dinde avec une tranche de pain au milieu. Son ouvrage est rejeté par tous, sauf David Hume, qui prévoit l'imminence de quelque chose de grandiose et l'encourage. Galvanisé par l'amitié du grand philosophe, il retourne à ses expériences avec une vigueur nouvelle... »

Plus généralement, Woody Allen est un pasticheur rare : il dynamite les genres cinématographiques et les condense en sujets de comédie. Ce sera le cas notamment avec *Coups de feu sur Broadway*, miroir déformant du film de gangsters américains des années 1920. Quasiment vingt ans plus tôt, dans *Guerre et amour*, il s'était livré avec facétie au même type de détournement avec la littérature russe. Cela « frisait la parodie littéraire », avouera même le réalisateur à lunettes.

Guerre et amour (1975) « parodie » les grands romans russes du XIXe siècle, classant Woody Allen parmi les cinéastes comiques.

L'humour yiddish

L'humour juif est bien sûr l'un des fonds de commerce de l'artiste. Il en connaît tous les rouages, mais prend soin de ne jamais en abuser.

« Pour dix Juifs qui souffrent et se lamentent, Dieu en crée un onzième pour les faire rire. » Le onzième, c'est Woody Allen, qui ne revendique aucune filiation avec une ligne yiddish officielle. Mais les plaisanteries sur les rabbins et les belles-mères, ce n'est pas sa spécialité. Au vrai, il puise son inspiration dans une grande tradition d'humour vif, ponctué de traits d'esprit sophistiqués et pétillants et d'ironie teintée d'autocritique. Un comique destructeur, où affleure parfois la menace antisémite. « Pour moi », confie-t-il à Stig Björkman, « la judaïté est surtout un réservoir de gags, un bouton sur lequel il me suffit d'appuyer pour déclencher les rires. » Ces références aux Juifs errants renvoient peut-être toutefois à un Woody Allen en déshérence.

L'un de ses ressorts préférés ? Le paradoxe, qu'il manie à la manière d'un Oscar Wilde. Et son art consommé de la chute, la vraie : « On n'a pas besoin d'être juif pour se sentir traumatisé, mais ça aide. »

Woody est bel et bien un héros juif lorsqu'il torpille les codes des familles *WASP* (*white anglo-saxon protestant*), qui malgré tout le fascinent. Pour autant, il ne s'identifie pas totalement à son milieu d'origine. Il vit dans un « luxueux appartement de la Cinquième Avenue dans l'Upper East Side, l'un des quartiers les plus chics de New York » et se souvient par exemple avoir croisé sur le chemin de l'école « une quinzaine de mères en manteau de vison ou d'hermine ».

Écartelé entre deux mondes, Woody Allen recourt donc à l'humour pour exister. Il s'arrogea d'emblée la réputation de « comique intellectuel », un label qu'il s'efforce d'enrichir de film en film. D'où chez lui cette constante satire de la haute bourgeoisie américaine que l'on appréciera dans *Alice* (1990), un film dont le titre même respire la société blanche privilégiée.

« Je tiens beaucoup à ma montre, c'est mon grand-père qui me l'a vendue sur son lit de mort. »

En fait, Allen a toujours été doué dans l'art d'exploiter son judaïsme. Il est certain que ses ascendances l'y ont bien aidé. Les Königsberg étaient des juifs orthodoxes avec tout ce que cela implique en rituels

Dans *Alice* (1990), Woody Allen s'amuse à faire la satire de la haute bourgeoisie américaine. Alice, mariée depuis une quinzaine d'années à un riche cadre supérieur, s'ennuie et voit sa vie bouleversée quand elle consulte un médecin chinois.

et coutumes : pour lui, c'était kippa et compagnie. Dans ses films, Woody a donc beau jeu de détourner la religion qui lui a été inculquée et de railler les stéréotypes yiddish... D'après John Baxter, « de la même façon que par un effet pervers, son manque de séduction physique a fait de lui un objet sexuel. »

Un égocentrique irrépressible

Son narcissisme confine parfois à l'égocentrisme invétéré... Et certains finissent par s'y noyer.

L'ego d'Allen se mesure certainement en kilos. Mais là où certains de ses admirateurs invoquent un jeu de démiurge, la plupart de ses détracteurs stigmatisent son égocentrisme irrépressible et sa mégalomanie galopante. Déjà en 1964, pour son premier film en tant que scénariste (*What's new, Pussycat ?*), l'homme fait montre de tout son potentiel en la matière. « Dans le scénario original, le rôle de Woody devait couvrir six pages », déclarera par la suite Warren Beatty, un temps pressenti pour y figurer. « Dans la première version qu'il réécrivit, son rôle était passé à douze ou quinze pages et c'était drôle. Petit à petit, Woody arriva à ce qu'il pensait être une version acceptable du scénario, et son rôle en représentait presque la moitié. »

Au vrai, ce triste narcissisme dissimule mal sa timidité pathologique, celle qui l'a toujours inhibé lorsqu'il se produisait en public, à ses débuts, dans les petits cabarets de Broadway. Un journaliste du *New York Post* nota d'ailleurs au lendemain de l'une de ses prestations : « Woody Allen utilise son microphone comme une couverture sécurisante. »

Toute sa vie, au fond, Woody Allen n'interprètera qu'un seul rôle : le sien. Celui qu'il connaît sur le bout des doigts. Mais, comme le souligne Florence Colombani, « il y a au moins deux Woody Allen » dans ses films : « l'intello névrosé et attachant (*Guerre et amour*, *Manhattan*, *Hannah et ses sœurs*) et l'escroc minable, vaguement pathétique

> **« Si seulement Dieu pouvait me faire un signe ! Comme faire un gros dépôt à mon nom dans une banque suisse. »**
>
> *New Yorker*, novembre 1973

(*Prends l'oseille et tire-toi*, *Escrocs mais pas trop*). » La figure du blagueur spirituel horripilant à force d'être jargonnant déchaînera régulièrement son lot de critiques acerbes. On se souvient de celle de la *New York Review of Books*, qui fustigeait à la sortie de *Manhattan* « l'égotisme hermétique » des films d'Allen et ses personnages « qui ne font de longues promenades et ne vont au restaurant que pour se poser des questions épineuses les uns aux autres ».

Dans *What's new, Pussycat ?* (1965), Woody Allen campe le rôle de Victor Shakapopulis, ami du personnage principal, Michael, et transi d'amour pour la compagne de celui-ci.

Le malade imaginaire perpétuel

Woody Allen est un vrai malade, frénétique et compulsif. Mais un malade imaginaire. Un hypocondriaque de première qui n'oublie pas d'inviter son pool de médecins aux premières de ses films

Les manies d'Allen sont souvent irrésistibles. Du moins, vues de l'extérieur... Mais il en est une peut-être plus savoureuse que les autres : son obsession de la maladie. L'homme est un hypocondriaque avéré. Dans *Hannah et ses sœurs*, il joue même le rôle d'un producteur de comédies totalement angoissé à l'idée d'être atteint d'une tumeur au cerveau. En novembre 2005, il confesse à Éric Lax : « Je crois que toute ma vie j'ai eu un petit foyer de dépression. Pas une dépression clinique qui vous mène au suicide, mais une sorte de dépression légère, comme si la lampe témoin était toujours allumée. »

> **« Un malade a besoin du plus grand calme, et non d'une parade incessante de faux-culs venus s'extasier devant sa bonne mine ! »**

En plus de ses trois visites hebdomadaires à son cher psychanalyste – « Il n'achetait même pas une chemise sans le consulter », dira Mia Farrow – Woody a toujours passé son temps à fréquenter toutes sortes de médecins. Une « bonne douzaine, tous spécialistes de différentes parties du corps », note John Baxter. Mieux. Passé 45 ans, il ne sortait jamais sans une énorme boîte bourrée de pilules pour son cœur et ses artères, son ulcère, ses angoisses. Bref, à lui seul, Woody Allen pouvait justifier la vocation d'une bonne partie des praticiens de Manhattan ! Et pour entretenir son réseau médical, il organisait à chacun de ses films une projection « spéciale docteurs » pour tout ce petit monde, qui parvenait aisément à remplir un cinéma de quartier.

Parce qu'il craignait de succomber à une crise cardiaque, il finit par éliminer de son assiette la viande rouge et les hot-dogs. De même, sa phobie des infections le mettait en transe dès qu'il devait côtoyer des

Les angoisses de Woody Allen l'ont toujours inspiré : dans *Hannah et ses sœurs* (1986), il interprète le rôle d'un producteur hypocondriaque.

enfants ou des animaux domestiques. Pas très pratique lorsqu'on fréquente Mia Farrow et sa ribambelle de têtes blondes !

L'irruption du sida faillit lui porter un coup fatal. Mais c'était évidemment la psychose de ce nouveau fléau et non le VIH qui menaçait de l'emporter. Il se livra alors « à de réguliers tests sanguins, dont l'arrivée des résultats le plongeait dans un état de panique irrationnelle », renchérit Baxter. « Refusant d'ouvrir les enveloppes, il s'enfuyait dans sa chambre, grimpait dans son lit et tirait les couvertures au-dessus de sa tête. Farrow vérifiait les résultats et le rassurait. »

La petite vie de Woody

À l'instar d'Ingmar Bergman, il n'aspire qu'à une vie simple, tranquille, au quotidien rythmé par des rituels immuables.

Il aligne les films comme d'autres enfilent des perles. À raison d'un long métrage par an en moyenne depuis près de quarante ans, il s'aménage ainsi une existence de rêve derrière la caméra. « Une manière d'inventer un monde où [il] aura du plaisir à vivre pendant huit ou neuf mois », glisse Éric Lax dans ses *Entretiens avec Woody Allen*. Mais il arrive aussi – parfois – que notre homme ne tourne pas. Et là, que fait-il ?

> **« Non seulement Dieu n'existe pas, mais en plus il est impossible de trouver un plombier le dimanche. »**

« Je me lève, je fais ma gym, je prends mon petit-déjeuner, je joue un peu avec les enfants et puis je passe dans mon bureau pour me mettre à écrire. J'en ressors pour déjeuner avec ma femme et mes enfants. Et puis, dans l'après-midi, si j'arrive à avancer, je retourne m'enfermer pour poursuivre. Ensuite, je travaille un peu ma clarinette. Je vais me promener avec ma femme, ou jouer avec les petits. [...] Le soir, nous allons dîner avec des amis, ou nous dînons à la maison. D'ordinaire, nous sortons. Et quand nous rentrons, je regarde la fin d'un match de base-ball et je vais me coucher. » Une vie tranquille en somme, « très rangée » même selon son expression. Avec parfois, cependant, quelques petites variations jamais totalement improvisées : « Le soir, je me mets au lit, je regarde la fin d'un match de basket, je suis si fatigué que j'ai du mal à éteindre la lampe, et pendant la minute ou la minute et demie avant que je m'endorme, je pense à mon scénario. Sauf quand je fais l'amour. Je ne suis pas accro à ce point ! »

Un quotidien paisible à l'image de celui d'Ingmar Bergman, son maître en toute chose. « Tu sais comment il passe ses journées ? » racontait Woody à l'un de ses amis, la voix teintée d'envie. « Il se lève très tôt, reste immobile pendant un moment à écouter l'océan, il prend son petit-déjeuner, travaille, déjeune assez tôt, se projette un film différent chaque jour, dîne tôt, et ensuite seulement lit le journal qui serait trop déprimant à découvrir au réveil. »

Ingmar Bergman.
Fervent admirateur
du cinéaste suédois,
Woody Allen va
jusqu'à suivre
à la lettre sa
façon de vivre.

BERGMAN

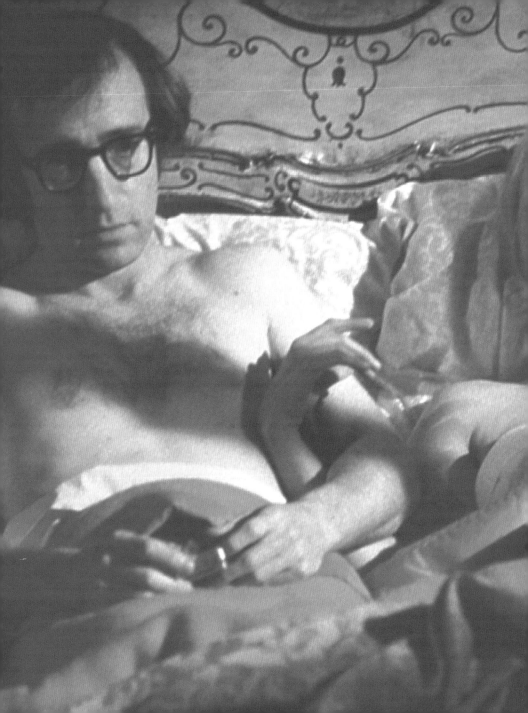

④ Femmes, je vous aime

Woody Allen n'a pas forcément le physique de l'emploi. Il est pourtant un séducteur invétéré. Ses relations avec les femmes n'en restent pas moins complexes. Si ses liaisons avec Diane Keaton et Mia Farrow demeurent de belles histoires, l'homme, un brin misogyne, n'est pas toujours très élégant avec ses conquêtes. Il va même jusqu'à défrayer la chronique quand il se marie avec la fille adoptive de l'une des ses ex-compagnes.

Un Don Juan de pacotille

Ni Warren Beaty, ni Marlon Brando, Woody a dû composer avec dame Nature pour s'inventer des aventures galantes.

On a toujours du mal à le croire mais Woody Allen est un séducteur effréné. Il l'a été dès son plus jeune âge. Clairement, son registre n'a jamais été dans la virilité exacerbée : ni torse velu à la Sean Connery, ni sourire ravageur à la Steve McQueen, ni même classe naturelle à la Paul Newman. Non, lui œuvre plutôt dans l'alternative spirituelle : le gars dont les filles raffolent parce qu'il les amuse, les cultive et les divertit. Bien sûr, ses efforts pour attirer les regards de la gent féminine ne sont pas toujours récompensés. Mais il a de la ressource. Se montrer maladroit, timide à l'excès ou peu subtil lui donne souvent un charme indéfinissable. Le sentiment amoureux passe aussi par la compassion : les femmes ont envie de l'aimer pour le délivrer de ses complexes...

Jerry Epstein, son ami de toujours, raconte à John Baxter : « Il était complètement nul avec les filles. Absolument nul. C'est sa timidité qui le retenait. Il était saisi de crampes d'estomac quand il devait prendre son téléphone pour appeler une fille. » Barbara, la femme de Jerry Cohen, un autre copain de lycée, lâche plus durement : « Il y avait une sacré concurrence entre nous pour les garçons qui comptaient vraiment. Woody ne faisait pas partie du lot. » Rouquin, malingre, des lunettes qui lui dévorent le visage... Le tableau n'est pas idyllique. Sadie Goldstein, la sœur de l'une de ses (rares) petites amies du lycée, se montre encore plus cinglante : « Il était l'un des gosses les plus affreux que vous ayez jamais vu. On ne voyait que ça : ses cheveux roux et ses lunettes. » À part ça, Allen plaît à ces dames...

Au début des années soixante, il tente d'enchaîner les aventures galantes à un rythme frénétique sur le plateau de *What's new, Pussycat ?* même si, suivant la tradition du milieu, « ça ne compte pas quand c'est pendant le tournage. » Sauf qu'il tarde trop au moment de conclure, si bien que Vicky Tiel, la costumière du film qu'il convoitait, tombe amoureuse d'un autre. Et la même de relever par la suite : « C'étaient les mêmes filles qui allaient avec Woody ou avec Warren [Beatty], des filles intéressées par les types qui ont du succès. Mais, avec Warren, elles tombaient amoureuses parce qu'il les dominait sexuellement, ce que Woody ne savait pas faire. »

« Entre la femme et moi, il y a toujours une fermeture éclair qui se coince. »

What's new, Pussycat ? (1965) : Paula Prentiss, Woody Allen, Romy Schneider, Peter O'Toole, Ursula Andress, Peter Sellers et Germaine Lefebvre.

Acte I, Harlene

Marié à 20 ans, divorcé à 25. Woody découvre pour la première fois auprès de la tendre Harlene Rosen les joies de l'amour conjugal.

« Je rêve que je suis le collant d'Ursula Andress... » On n'ose imaginer la suite avec la mythique James Bond girl. Ou plutôt, on aimerait savoir ce que confie Woody Allen à son psy. Car c'est là tout ce que notre héros lubrique préféré a bien voulu dévoiler de ses songes érotiques... Au grand dam des critiques, qui ironisent tour à tour sur la platitude et l'excentricité de sa libido.

« Un petit mot sur la contraception orale. J'ai demandé à une fille de coucher avec moi et elle a dit "non". »

Avant de souhaiter se réincarner en pièce de lingerie pour déesse sculpturale, Woody Allen a longtemps souffert de n'être pas lui aussi un objet de désir pour ses petites camarades de classe. Heureusement, vers 18 ans, le jeune homme sort de son désert amoureux guidé par une grande brune fort jolie de 15 ans, nommée Harlene Rosen. « Elle tenait le piano lors de sessions d'improvisation informelles qui réunissaient habituellement Allen à la clarinette et Mickey Rose ou Elliot Mills à la batterie », précise John Baxter. Le père de la jeune fille se joignait au petit groupe en malmenant la trompette, pour veiller surtout à ce que l'un des garçons ne s'attache pas trop à elle. Peine perdue.

Harlene est consciencieuse et appliquée ; Woody est dilettante et fanfaron. Ils tombent donc amoureux et se marient après un an de vie commune en mars 1956 à Hollywood (au Hollywood Hawaiian Hotel, *sic* !). Ils vivent (pas vraiment heureux) à New York et divorcent en 1961. Fin du premier acte, qui aura donc duré à peine cinq ans. Elle, l'ancienne étudiante en philosophie, partira en Italie vivre une passion avec un sculpteur florentin, avant de revenir s'installer en bordure de Greenwich Village en tant qu'artiste. Lui se délectera un temps de sa liberté retrouvée...

Woody Allen a toujours aimé s'entourer de belles femmes : ici, Ursula Andress et Raquel Welch saluant la reine Elizabeth II.

Acte II, Louise

Rebelote, la dame d'atout réapparaît dix ans plus tard. Remarié à 30 ans avec la troublante Louise Lasser, Woody est divorcé avant ses 34 ans.

Acte II avec Louise Lasser, une actrice-chanteuse juive dont le titre de gloire est d'avoir doublé Barbra Streisand. La voluptueuse brunette peut même se targuer d'une courte apparition dans le fameux *What's new, Pussycat ?* au cours de laquelle elle masse les épaules de Peter Sellers.

Le couple se marie en 1966, puis s'installe dans un somptueux duplex de l'Upper East Side. Avec Woody, ce n'est pas vraiment le coup de foudre... Juste une romance « légalisée ». La relation se délite, se vautre dans l'excentricité. « Comme beaucoup de couples malheureux », note John Baxter, « ils surenchérirent sur leur dysfonctionnement. » Et Miss Lasser de confier plus tard : « Les premières fois que nous nous sommes rencontrés, nous avons fait de longues promenades dans le parc en discutant d'art et de philosophie, de la vie, et de toutes ces choses dont on s'aperçoit quelques mois plus tard que ni l'un ni l'autre ne veut entendre parler. » Presque du pur *Manhattan* ou *Annie Hall* dans le texte ! En 1969, fin de l'aventure et nouveau divorce express, même si les ex-mariés continueront de se voir par la suite. Si Diane Keaton et Mia Farrow sont sans doute à ce jour les deux plus grands amours de sa vie, Woody n'épouse pourtant ni l'une, ni l'autre.

L'acte III conjugal s'écrit avec... Soon-Yi Previn, la fille adoptive de Mia Farrow !

> **« C'est sûr, l'amour est la réponse. Mais pendant que vous êtes en train d'attendre la réponse, le sexe pose des questions très pertinentes. »**

L'union est même célébrée en grande pompe en janvier 1998 à Venise, avec lune de miel à Paris. Un an plus tard, ce couple improbable qui défraya la chronique adopte une petite fille nommée Bechet Dumanian : un double hommage à l'une des idoles d'Allen, Sidney Bechet, et à son amie de toujours Jean Doumanian. Deux ans après, Woody et Soon-Yi adoptent une autre fille qu'ils affublent du nom de Manzie Tio en souvenir de Manzie Johnson, le batteur de l'illustre clarinettiste.

Au sujet de sa troisième femme, Woody s'est montré particulièrement éloquent.

C'était en janvier 2000 au cours d'un de ses entretiens avec Éric Lax : « Je regrette de ne pas l'avoir rencontrée plus jeune. J'avais toujours rebondi d'une liaison à une autre, [...] jusqu'à ce que, de la façon la plus absurde, la plus hasardeuse, la plus insensée, j'entame maladroitement une re-lation avec une jeune Coréenne qui a très peu en commun avec moi, et soudain ça a marché, comme par magie. »

Woody Allen et Louise Lasser, sa deuxième épouse, dans *Tout ce que vous avez toujours voulu savoir sur le sexe... sans jamais oser le demander* (1972).

« J'ai eu un mariage difficile »

Allen a l'art d'exploiter sur scène ses infortunes conjugales. Au grand dam de son ex-femme.

Toutes ces misères amoureuses sont habilement recyclées par l'intéressé. Woody Allen ne se prive nullement de s'épancher dès 1964 sur le cas Harlene Rosen, moins de deux ans après leur séparation. Le résultat est jubilatoire et s'intitule tout simplement : *J'ai eu un mariage difficile*.

« Le sexe entre deux personnes, c'est beau. Entre cinq personnes, c'est fantastique… »

Standup comic

« J'ai eu un mariage difficile. Eh bien, ma femme était une personne immature, voilà tout. Dites-moi si vous ne trouvez pas ça immature : quand j'étais dans la salle de bains, en train de prendre mon bain, ma femme entrait tout le temps pour couler mes bateaux. [...] Nous nous disputions tout le temps et en fin de compte, nous avons décidé que nous devions soit prendre des vacances, soit divorcer. Nous en avons parlé de façon très mûre, et nous avons opté pour le divorce, parce que nous n'avions qu'une petite somme d'argent à dépenser. Des vacances aux Bermudes, ça ne dure que deux semaines, mais un divorce, vous en profitez toute la vie. Je me suis vu à nouveau libre, habitant le Village dans un appartement de célibataire avec une vraie cheminée, un tapis broussailleux, et aux murs, un de ces Picasso signés Van Gogh. De formidables hôtesses de l'air déchaînées dans l'appartement. Je suis devenu très excité, et je n'y suis pas allé par quatre chemins avec elle. Je suis allé droit au but. J'ai dit : "Quasimodo, je veux divorcer". Et elle a répondu : "Parfait, divorçons". Mais il se trouve que dans l'État de New York, il y a une loi bizarre qui dit que vous ne pouvez pas divorcer à moins de prouver l'adultère. C'est tordu parce que les Dix Commandements disent "Tu ne commettras pas l'adultère", alors que l'État de New York dit que tu le dois. »

L'épouse bafouée riposte évidemment sur le registre judiciaire, en intentant un procès en diffamation à celui qui la ridiculise « partout et tout le temps, dans ses spectacles, à la radio et avec ses amis. » Mais l'affaire finit par s'enliser et les deux parties trouvent un arrangement à l'amiable.

Greenwich Village.

La muse Mia

Avant de s'abîmer dans une histoire glauque, la relation Woody Allen - Mia Farrow a enchanté le milieu une décennie durant.

Il y eut Diane Keaton, la muse des années soixante-dix ; il y a de même Mia Farrow, celle de la décennie suivante. Elle est entrée dans la vie de Woody Allen au tournant des années 1980, au moment du tournage de *Stardust memories*. À ses yeux, Diane Keaton était incontournable pour une comédie mais elle se bornait à ce registre. Mia Farrow, elle, disposait d'une « très large palette » de possibilités, si bien qu'elle se sortait « toujours très bien des rôles les plus bizarres, les plus risqués. » Elle était « aussi à l'aise dans le burlesque que dans des rôles très sérieux. » Ensemble, ils forment le couple le plus célèbre de Manhattan, bien qu'ils n'aient jamais vécu sous le même toit.

> **« Je pense que les gens devraient s'accoupler pour la vie, comme les pigeons et les catholiques. »**
>
> *Manhattan*

Leur complicité éclate pour la première fois à l'écran dans *Comédie érotique d'une nuit d'été*, le petit opus vite écrit et vite tourné durant l'été 1982. Elle se prolonge toute une décennie et s'achève lors du tourmenté et crépusculaire *Maris et femmes* en 1992. Pour chacun des treize films qu'il écrit, Woody lui laisse galamment le choix du personnage qu'elle préfère. Tout comme Woody, Mia Farrow a toujours été immergée dans le milieu du cinéma, mais pas pour les mêmes raisons. Son père d'origine irlandaise, John Farrow, était réalisateur. Sa mère, l'actrice Maureen O'Sullivan, s'était retrouvée en haut de l'affiche au côté de... Tarzan, dans la série éponyme avec Johnny Weissmuller. Enfin, son premier mari – Woody n'étant que son troisième compagnon – ne fut autre que l'une des icônes américaines du show-biz : Frank Sinatra !

Malgré la fin « glauquissime » de leur liaison, Woody l'a toujours estimée sur le plan professionnel – « Je n'ai que des compliments à lui faire » – et défendue sur le plan artistique : « Mia Farrow est une bonne actrice,

Comédie érotique d'une nuit d'été (1982) est le premier film de Woody Allen avec Mia Farrow.

et à mon sens, Hollywood ne lui fait pas la place qu'elle mérite. » Pourtant, celle qui fut baptisée Maria de Lourdes Villiers Farrow ne lésina pas pour faire décoller sa carrière. L'innocente mais sensuelle créature n'ignorait rien du système hollywoodien et de ses « promotions-canapé » fulgurantes quand elle séduisait tour à tour Kirk Douglas, Yul Brynner, Richard Burton et même Roman Polanski. Ne les avait-elle pas prévenus du haut de ses 19 ans ? « Je veux une grande carrière, un grand homme, une grande vie. Il faut voir grand. C'est le seul moyen d'obtenir ce qu'on veut. »

Vieux papa bizarre

Woody Allen n'est pas ce que l'on peut appeler l'incarnation du père idéal. Il a surtout subi sa première paternité. Il avait 52 ans.

Par un caprice de l'histoire, Woody Allen est bombardé papa au moment où il essuie son premier échec commercial cinglant avec *September*. Satchel O'Sullivan, prénommé de la sorte en hommage au légendaire joueur de base-ball Leroy « Satchel » Paige – le pauvre enfant avait déjà échappé au prénom Ingmar ! – tombe pour ainsi dire très mal. Mia Farrow, sa mère, note d'ailleurs plus tard que Woody n'hésitait pas à le décrire comme « le petit bâtard », ou pire, « le petit bâtard superflu ».

En revanche, papa Allen montre une affection débordante pour la fille adoptive de Mia, Dylan, au point de vouloir l'adopter à son tour. C'est chose faite un peu plus tard, en décembre 1991. Avec Soon-Yi, l'adolescente née d'une mère prostituée coréenne et recueillie à 7 ans par miss Farrow, c'est encore différent : il passe de plus en plus

de temps avec elle… La presse people se charge d'ailleurs d'immortaliser la venue du « couple » dans un stade de base-ball.

Mais l'affaire prend très vite une tournure malsaine, quand Soon-Yi se retrouve

« Une auto-stoppeuse est une jeune femme, généralement jolie et court vêtue, qui se trouve sur votre route quand vous êtes avec votre femme. »

embarquée comme figurante dans le film de Paul Mazursky *Scènes de ménage dans un centre commercial* (1991), dont Woody tient la vedette. Les deux ne se quittent plus, partant aux studios et revenant ensemble en limousine... Le point de départ de leur troublante relation : « Mon ex-femme Louise ressemblait à Mia », explique Woody, « et s'il ne tenait qu'à moi, j'aurais plutôt pensé que ce qu'il me faut, c'est un certain type de femme, un certain air. Et puis quelqu'un arrive comme Soon-Yi, qui débarque de la lune, de Corée, des décennies plus jeune que moi, nous n'avons aucune expérience commune, et c'est avec elle que, pour quelque raison irrationnelle, ça a l'air de marcher. C'est agréable, amusant et fascinant, et pour moi c'est incroyable. »

Woody Allen et Mia Farrow avec leurs deux enfants, Dylan (dans les bras de sa mère) et Satchel.

Le Woodygate

L'affaire Soon-Yi précipita la fin de sa liaison avec Mia Farrow. Le scandale faillit aussi emporter Woody lui-même.

C'est son affaire Lewinsky à lui. Six ans avant le scandale qui coula le Président Clinton, Woody Allen est rattrapé par un fait divers sexuel. Mia Farrow tombe un jour dans son appartement sur des polaroïds très osés où sa fille adoptive Soon-Yi, totalement désinhibée et très peu habillée, prend des poses lascives. Répulsion. Affliction. Réaction. Mia chasse aussitôt son compagnon, change les clés de sa maison et tous ses numéros de téléphone... Mais retourne consciencieusement deux jours plus tard sur le tournage du film *Maris et femmes* ! Comme le remarque John Baxter, « Farrow devait être bien consciente que sans leur film annuel, elle perdait presque toute source de revenus. » Le glauque le dispute ici au sordide. Mia Farrow est prête à tourner pour boucler ses fins de mois, et en même temps prête à tout pour boucler son mari en prison. Mais Soon-Yi était majeure...

Dans ce climat haineux, les avocats finissent cependant par s'entendre : à elle les films, à lui les enfants. Autrement dit, Mia peut continuer à faire l'actrice et Woody, espérer un droit de visite. Seulement cet accord est ignoré. Car entre-temps, Mia Farrow se braque de manière irréversible en accusant Allen d'attouchements envers la petite Dylan.

À partir de là, la guerre est sanglante. La presse s'en mêle et l'affrontement Allen/Farrow devient le feuilleton quotidien de millions d'Américains. Woody subit quantité d'interrogatoires éprouvants, d'examens humiliants, de prélèvements de toutes sortes... Pour être totalement innocenté en mars 1993. Quatorze mois après la fameuse découverte des polaroïds. Mais il perd en justice le droit de revoir les enfants de Mia et n'obtient qu'un droit de visite limité pour son propre fils, Satchel.

« Le sexe apaise les tensions. L'amour les provoque. »

Stardust memories

Durant toute la cabale, le cinéma est pour lui un océan dans lequel il se noie. « J'arrive à séparer les choses. J'ai senti que durant cette période de tension, il était essentiel, et sain pour moi de travailler. » En pleine tourmente, l'artiste continue de

Woody Allen, Mia Farrow, leurs deux enfants et Soon-Yi, fille adoptive de l'actrice. Sa relation avec son beau-père fit scandale aux États-Unis.

se produire inlassablement tous les lundis avec son orchestre de jazz. Mieux. Ce maelström stimule sa frénésie artistique : « Pendant tout la période où cette affaire a alimenté les journaux, [...] j'ai terminé quelques films, j'ai écrit une pièce en un acte qui a été représentée off-Broadway et j'ai réalisé un téléfilm. [...] Tout cela ne m'a pas gêné au point de m'empêcher de travailler. »

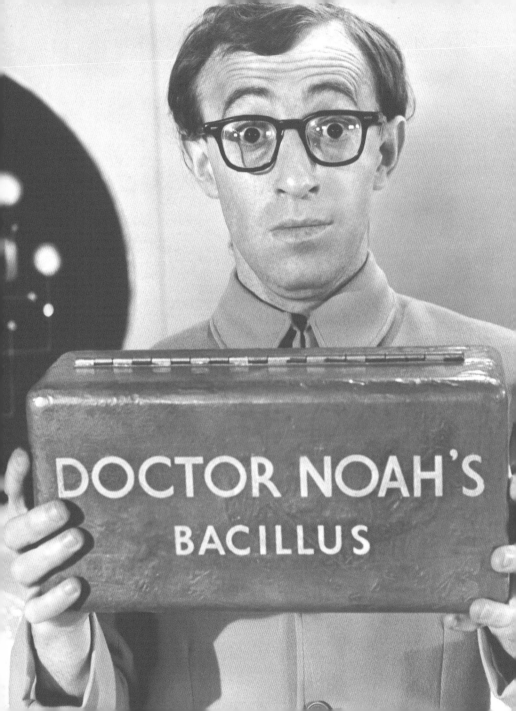

5 Du *stand-up* au clap

Avant de devenir le célèbre cinéaste que l'on connaît, Woody Allen a fait ses preuves dans l'écriture et l'interprétation de sketches désopilants qu'il présentait dans des bars ou dans des émissions de télévision. C'est avec *What's new, Pussycat ?* et *Casino Royale* qu'il fait son entrée à Hollywood. Des expériences dont il sort désabusé et qui marquent à jamais sa vision du temple du cinéma américain.

Bons mots…

Il fit ses premières armes au sein d'une écurie de jeunes auteurs. Son rôle ? Servir de nègre aux pointures comiques du moment.

Dans les années cinquante, au moment où Woody cherche à faire son « trou », les journaux regorgent de bons mots et de potins attribués plus ou moins hypocritement à des célébrités. C'est là l'une de leurs rubriques phares. Aussi notre jeune homme cherche-t-il tout naturellement à y écouler les traits d'esprit qu'il pond au kilomètre durant ses trajets en métro de Brooklyn vers Manhattan. « J'avais l'impression d'être au cœur du show-business, mais à 25 dollars par semaine, j'étais plutôt dans son trou du cul. » Du pur Allen dans le texte.

« L'avenir contient de grandes occasions. Il révèle aussi des pièges. Le problème sera d'éviter les pièges, de saisir les occasions et de rentrer chez soi pour six heures. »

L'emploi est certes assez ingrat – peu rémunéré et pas franchement en pleine lumière – mais les *one-liners*, ces gags express si prisés du lecteur, lui permettent de tester son public et peut-être de se faire remarquer. C'est le cas grâce à un attaché de presse du nom de David O. Albert, toujours en quête d'un nègre comique pour ses clients. Il recrute Woody à mi-temps pour aligner cinquante petites histoires par semaine. Et puis, par un phénomène de mimétisme bien connu du milieu, les concurrents s'intéressent à leur tour au nouveau petit prodige. Lequel multiplie rapidement les contrats. Ce cumul lui permet de quadrupler ses revenus : à 18 ans, il touche environ 100 dollars par semaine.

L'année suivante, c'est (presque) le début de la gloire : il est engagé à plein temps par la NBC (National Broadcasting Company) pour quinze fois plus. Il atterrit alors dans une équipe de gagmen à laquelle émarge déjà un certain Mel Brooks. À charge pour lui de truffer d'humour le *Tonight show* de Garry Moore, l'une des émissions télévisées les plus courues de l'époque. Et là, tout s'enchaîne enfin…

... Et mauvais trou

Presque malgré lui, l'ami Woody s'est retrouvé un jour à faire son one man show. De quoi le dégoûter du métier.

Coaché par ses deux imprésarios de toujours, Charles Joffe et Jack Rollins, Woody Allen est prié de monter son propre numéro de scène. D'abord au Blue Angel dans la 55e rue, puis au Duplex, un cabaret minuscule de Greenwich Village. Le Blue Angel, une boîte fréquentée par l'élite de l'époque, est réputée difficile. Et, sans surprise, Woody est massacré par le public pour ses grandes premières de *stand-up*[1] en octobre 1960. Heureusement, l'apprenti comique se rattrape au Duplex, nettement plus tolérant. Rollins précise : « De temps en temps, il était chahuté mais il ne répondait jamais. Il s'accrochait stoïquement à ses répliques et faisait ses vingt-cinq minutes comme si les autres n'étaient pas là, les regardant à peine du coin de l'œil. Il s'avançait et se nouait le fil du micro autour du cou. On aurait dit qu'il allait s'étrangler. Oh, et il était bourré de tics avec ça. Nerveux, nerveux à un point ! C'était quelque chose, il fallait le voir. C'est difficile à décrire. »

Après avoir un temps tâtonné et failli tout lâcher – il démissionne cinq ou six fois avant d'être remis en selle par son duo d'agents – l'artiste trouve enfin son rythme et son style : deux fois par soirée, six jours sur sept. Au point qu'il faut bientôt agrandir la salle du Duplex (un triplex ?)...

D'après lui, cependant, son passage au Duplex fut un cauchemar absolu. D'autant qu'il travaillait sans filet, touchant 75 dollars par semaine après être monté jusqu'à 1700 dollars à la télévision. « J'ai travaillé au Duplex pendant un an. Ce fut la pire année de ma vie. Je sentais une sorte de peur au ventre chaque matin, depuis la minute où je m'éveillais jusqu'à ce que j'entre en scène à 11 heures du soir. J'éprouvais une sensation de soulagement après en avoir fini avec les deux représentations mais le lendemain matin, ça recommençait. [...] Je m'étais séparé de ma femme. [...] C'était l'hiver. Il faisait nuit et j'attendais dans le froid, frissonnant et essayant d'attraper un taxi pour aller en ville et me demandant pourquoi je faisais cela. »

Bientôt, cependant, il est réclamé partout à New York, ainsi qu'à San Francisco, Los Angeles, Washington et Chicago. Même le grand Garry Moore ne peut plus ignorer le phénomène : Woody Allen sera un jour l'invité vedette de son *Tonight show* !

Woody Allen
sur le plateau
du *Tonight show*
avec Johnny
Carson.

« Le spectacle, c'est un
monde de loups. C'est pire qu'un
monde de loups.
C'est un monde où les loups ne
vous rappellent pas au téléphone. »

L'élan fondateur

Woody Allen a pris son élan... précisément avec une histoire d'élan. Non que l'artiste soit un spécialiste de cet animal ruminant des contrées septentrionales, mais parce que ce monologue livrait la clé de son humour si particulier.

Il est un texte fondateur de l'humour allénien, qui touche à la quintessence de son art. C'est la bande-son du trublion, celle qu'aucun de ses biographes n'a omis de rapporter *in extenso*. « Un soir, j'ai tué un élan. Je chassais dans le nord de l'État de New York et j'ai tué un élan, alors je l'attache sur le pare-chocs de ma voiture et je rentre à la maison. Mais je ne m'étais pas aperçu que la balle n'avait pas pénétré. Elle lui avait simplement effleuré le cuir chevelu : il n'était qu'assommé. Me voilà en plein sous le Holland Tunnel quand l'élan se réveille. Moi, je pilote ma voiture avec un élan gigotant sur mon pare-chocs. [...] Il existe une loi dans l'État de New York qui interdit de rouler avec un élan conscient sur son pare-chocs, les mardis, jeudis et samedis. Moi, ça me flanque la frousse et tout à coup, il me revient que certains de mes amis donnent une soirée costumée. Je décide d'y aller, d'emmener l'élan et de le fourguer à la soirée. Ensuite, je n'en serai plus responsable.

Alors je vais chez les gens, je frappe à la porte, l'élan à mon bras. Mon hôte ouvre la porte, il dit : "Bonsoir, merci d'être ve-nus. Je vous présente les Salomons". Nous entrons. L'élan se mêle aux invités. Il a un succès fou, il drague. Un type essaie même de lui vendre une assurance-vie pendant une heure et demie. Puis minuit sonne. On distribue des prix pour les costumes les plus réussis... Et le premier prix est décer-

> **« L'avenir est la seule chose qui m'intéresse, car je compte bien y passer les prochaines années. »**

né aux Berkovitz, un couple de gens mariés déguisés en élans. L'élan n'a que le deuxième prix, et il est fou de rage. Lui et les Berkovitz en viennent à s'affronter, et s'accrochent leurs andouillers en plein milieu du salon. Ils s'assomment mutuellement. Alors je me dis : Voilà ma chance ! J'empoigne l'élan, le ligote sur le pare-chocs et regagne la forêt... Seulement, je me suis trompé, et j'ai embarqué les Berkovitz ! Et me voilà roulant avec deux Juifs ficelés sur mon pare-chocs, ce qui est formellement interdit par la loi dans l'État de New York... Les mardis, les jeudis et particulièrement les samedis. Le lendemain matin, les

Le sketch sur l'élan, parfait exemple de l'humour de Woody Allen, marque un tournant dans la carrière de l'artiste.

Berkovitz se réveillent dans les bois, déguisés en élan. M. Berkovitz est abattu par des chasseurs et aussi sec se retrouve empaillé et exposé au New York Athletic Club, ce qui est un comble parce que ce club très exclusif est interdit aux Juifs ! »

Quoi de neuf, Woody cat ?

En 1964, à la veille de ses 30 ans, tout bascule pour Woody Allen. Il rencontre le producteur Charles K. Feldman qui lui confie le scénario de *What's new, Pussycat ?*, un film présumé impossible à monter...

Alors qu'il soliloque dans un bar, le Blue Angel, en égrenant d'une voix monocorde ses dernières trouvailles humoristiques, Woody Allen est tout surpris de compter parmi ses admirateurs d'un soir la grande Shirley MacLaine. Elle est flanquée de l'ex-impresario devenu producteur sur le tard, Charles K. Feldman. Celui-ci, sous le charme du petit homme aux lunettes noires, a déjà assuré la promotion de grands fauves hollywoodiens au sein de son agence Famous Artists : Greta Garbo, Marlene Dietrich, Marilyn Monroe ou encore Gary Cooper et John Wayne sont à son tableau de chasse. Il comprend rapidement qu'il a peut-être déniché là une pépite. Une pépite à même de transformer *What's new, Pussycat ?*, un improbable scénario tiré de la pièce de théâtre tchèque *Lot's Wife*, en une montagne d'or. Car jusque-là, ce « scénar' » que possède Mr Feldman demeure toujours aussi bancal, en dépit de multiples retouches qu'on lui a infligé.

L'affaire est vite emballée. Quelques jours plus tard, Joffe et Rollins, les deux agents de Woody, demandent 35 000 dollars au nom de leur client – là où Feldman, que le milieu avait surnommé « le roi Midas », était prêt à en verser 60 000. À charge pour le nouveau scénariste de jouer les alchimistes, et de libérer tout le potentiel sexy-comique du texte original d'un certain Ladislas Bus-Fekete.

> **« Les ennuis, c'est comme le papier hygiénique. On en tire un, il en vient dix. »**

Mais rien n'est simple. Woody s'attribue le premier rôle masculin ; une prérogative aussitôt annulée par le producteur. Il demande alors Groucho Marx, mais Feldman réplique en embauchant Peter Sellers. Et ainsi de suite. De déboires en revirements, de tiraillements en accrochages, le film finit cependant par être tourné avec une version mille fois revue et corrigée du scénario. En pleine confusion, Woody Allen n'oublie tout de même pas d'assurer sa publicité personnelle, via un complaisant reportage-photo de neuf pages dans *Playboy* où il pose au milieu de mannequins dénudées... jouant au football ! Il le légende ainsi : « Quoi de nu, Pussycat ? »

Woody Allen et
Romy Schneider
dans *Quoi de neuf,
Pussycat ?* (1965).

Quoi de neuf, Woody cat ? (suite)

Le film fera un tabac au box-office, mais Woody, lui, perdra ses dernières illusions sur le système d'Hollywood.

Résultat ? Une catastrophe à en croire la critique américaine... Mais un score ébouriffant au box-office. Le film intègre même le Top 5 de l'année. *What's new* engrange un peu plus de 17 millions de dollars de profits, pour un budget de 4 millions. Un record pour un film comique. Voilà donc Woody propulsé scénariste à succès, alors même qu'il méprise cette comédie qui enchaîne les bluettes dans « une brume de sexe et d'alcool » (selon l'expression de John Baxter). D'autant qu'en France – là où se déroule l'action – la presse se montre dithyrambique, marquant un attrait pour Woody Allen qui ne se démentira pas. Mais, comme il l'explique à Éric Lax, son biographe officiel : « Je n'étais pas dans la position de dire au public : "Ce n'est pas de ma faute. Ce n'est pas le film que j'aurais voulu faire". C'est toute la démarche cinématographique que je détestais et j'ai prouvé depuis que ce n'était pas mon genre de film. Mais je n'ai jamais rien fait d'autre d'aussi lucratif. »

Pour sa première incursion dans le milieu, Allen ressort surtout désabusé. « Charlie Feldman menait tout d'une main de fer. Et je n'arrêtais pas de penser : "Tire-toi de là, et laisse-moi te montrer comment faire". » Pour lui, le système est vicié. Les studios sont trop intrusifs et les producteurs ont des prétentions artistiques déplacées. C'est ce qu'il confie à Stig Björkman : « J'avais écrit ce que je voyais comme un film très original et anti-commercial. [...] Et les producteurs auxquels j'ai rendu mon manuscrit étaient la quintessence même de la machine hollywoodienne. Des gens qui n'avaient pas le moindre sens de l'humour décidaient de ce qui était drôle ou pas. Des gens qui pistonnaient leurs petites amies. Des gens qui écrivaient des rôles spécialement pour faire plaisir à des stars. »

Dans une interview au *Time Magazine*, il est plus cynique encore : « J'ai appris une chose sur la production. Quand vous faites un gros film à 4 millions de dollars, vous avez un tas de gens dans les pattes qui vous disent qu'ils sont là pour "protéger l'investissement". Ils voulaient un film olé-olé pour faire fortune. J'avais autre chose en tête. Ils ont eu leur film olé-olé qui a fait une fortune. »

« Il y a une différence capitale entre "être" et "en être". Appartenir à l'un ou à l'autre groupe n'a aucune importance pourvu qu'on s'amuse. »

Destins tordus

Ursula Andress, Woody Allen et Paula Prentiss sur le tournage de *Quoi de neuf, Pussycat ?* (1965), un très gros succès malgré un résultat décevant pour le scénariste.

Woody *versus* Bond

À défaut de jouer 007 – on dira qu'il n'avait peut-être pas le physique de l'emploi – notre homme se consolera avec le rôle du méchant dans la version parodique de *Casino Royale*.

À quelques centimètres près, Woody aurait pu être un grand espion. Mais ce ludion d'1,68 mètre (ou 1,63 mètre, selon les exégètes pro ou anti-Allen) doit se consoler avec le rôle du méchant. Celui qui contrarie le héros presque jusqu'à la fin, mais qui prend tout de même le temps de flirter avec quelques beaux spécimens du genre féminin.

En 1966, Charles K. Feldman, en producteur avisé, n'ignore pas qu'il lui faut surfer sur le phénomène James Bond. C'est que la bondomania déferle depuis deux ans sur l'Amérique, grâce à *Goldfinger*. Or, Feldman possède par un curieux hasard les droits du premier roman de Ian Fleming : *Casino Royale*. Le seul que n'ont pas raflé Albert Broccoli et Harry Saltzman, les producteurs historiques de la geste bondienne. Mais, pour autant, Feldman ne peut pas s'approprier les célèbres codes visuels de la saga. Ceux-ci restent la marque déposée du duo. Il lui faut donc jouer sur un autre registre : pourquoi pas un pastiche ?

Voici alors que surgit sur les écrans un faux Bond, avec en tête de gondole certains des grands noms du générique de

What's new, Pussycat ? : Peter Sellers, Peter O'Toole ou encore Ursula Andress, celle-là même qui fut quatre ans auparavant la mythique Bond girl originelle dans *Dr No*. Woody, lui, doit muscler le scénario. Il s'octroie en passant le rôle de Jimmy Bond, mégalomane de service obnubilé par l'éradication de tous les hommes de plus de 1,40 mètre. Un neveu dégénéré de l'agent 007, mais surtout un animal lubrique entouré d'un commando de charme : « On avait embauché vingt-quatre filles pour constituer ma garde personnelle. C'était l'enfer. J'ai résisté à la tentation comme un saint. L'unique fois où j'y ai cédé, ce fut avec les numéros 4 à 21. Mais personne n'est parfait. »

Casino Royale fait un carton en salle, signant même le troisième plus gros succès de l'année 1967. Près de quarante ans plus tard, Woody jette un regard clinique sur cette farce en déclarant à Éric Lax : « Pour moi, ce film n'est rien. [...] Je n'ai rien écrit pour ce film, je n'ai jamais vu le film, je ne me suis jamais en rien préoccupé de ce film. Tout du long, je savais que c'était une entreprise idiote. » Et pourtant, il émarge à la liste cachée des collaborateurs non crédités.

Woody Allen dans *Casino Royale* (1967) de Val Guest et Ken Hughes. Avec sa démarche nonchalante et son allure lubrique, Allen joue le rôle de Jimmy Bond, neveu de 007.

« J'aurais voulu être espion, mais il fallait avaler des micro-films et mon médecin me l'a interdit. »

DOCTOR NOAH'S

BACILLUS

❻ Allen à l'écran

C'est avec la sortie d'*Annie Hall* en 1977
que Woody Allen accède au rang de cinéaste
confirmé. Avec quatre oscars, ce film
décroche les plus prestigieuses récompenses
professionnelles. Encore aujourd'hui, il reste
l'une des réalisations préférées du grand public.
S'ensuivent des longs métrages au style bien
marqué et quelques tentatives plus ou moins
bien réussies. Au fil des années, certaines
actrices se détachent et deviennent des muses.

Coup de théâtre à Broadway

Entre le *stand-up* et le cinéma, Allen s'est aussi attaqué au théâtre. Avec succès. C'est là qu'il rencontrera Diane Keaton...

La première fois qu'il s'aventure sur les planches, Woody Allen essuie un fiasco personnel auprès des critiques mais pas du public. Sa pièce *Don't drink the water* reste tout de même deux ans à l'affiche à Broadway ! Soit 598 représentations consécutives au théâtre Morosco, celui-là même où travaille John Cusack, le personnage central de *Coups de feu sur Broadway*. La seconde fois, en revanche, sera la bonne aux yeux de la profession. Pour *Play it again, Sam* – qui transposée à l'écran quatre ans plus tard donnera *Tombe les filles et tais-toi* – les critiques sont dithyrambiques.

Le *New York Times* écrit : « Woody Allen n'a rien d'un simple gagman : il a un véritable talent théâtral. » Bref, un auteur est né en cet hiver 1969.

« C'est dur de faire un film, mais travailler pour de bon, c'est pire ! »

Mais surtout, à Broadway, Woody rencontre celle qui deviendra l'une de ses muses : Diane Keaton. Il est totalement fasciné : « Elle est très douée. Et elle était très belle. Elle sait chanter, danser, dessiner, peindre, faire des photos. Et jouer la comédie, bien sûr. Elle est vraiment bourrée de talents. » À ses yeux, elle est même « la plus grande actrice américaine de cinéma avec Judy Holliday. » Il l'auditionne pour le rôle principal de *Play it again, Sam*... Et ils sont amants pour la première à Broadway.

Ils flirtent pendant deux ans avant de rompre amicalement. Entre eux, il s'agit au fond d'une relation d'étudiants studieux. Une figure allénienne type ! « Woody, sa

Broadway.

Woody et les robots
avec Woody Allen et Diane Keaton.

vie c'est son travail », déclare-t-elle. « Il n'est tout simplement pas capable de se détendre. »

1969, année érotique ? Certainement. Année comique ? Assurément. Car Allen sort durant l'été son premier film, totalement personnel et franchement déjanté : *Prends l'oseille et tire-toi*. Une œuvre iconoclaste qui emprunte aussi bien à la comédie musicale qu'au film noir ou à la comédie de mœurs sophistiquée, avec une flopée de

références. Deux autres opus de la même veine suivent : *Bananas* (1971), puis *Tout ce que vous avez toujours voulu savoir sur le sexe... sans jamais oser le demander* (1972) ; ainsi qu'un film d'anticipation, *Woody et les robots* (1973). Résultat ? Les quatre premiers opus d'Allen engrangent 10,5 millions de dollars de bénéfices pour un investissement de 8,75 millions. De quoi mettre sa carrière sur de bons rails et le rendre incontournable auprès des pontes hollywoodiens.

Woody à l'écran

Au milieu des années soixante-dix, la carrière d'Allen au cinéma connaît un tournant : il accède enfin au rang de cinéaste à part entière, grâce à *Annie Hall*.

Dans le monde allénien, il y a deux périodes : celle des *early funny films*, les premiers films drôles des années soixante-dix. Des œuvres burlesques, trépidantes, truffées de gags et de bons mots. Et celle qui consacre l'avènement d'un vrai cinéaste, un auteur à part entière. La première s'achève sur le dernier plan de *Guerre et amour*, un film qui, de l'avis de James B. Harris, ami et producteur de Stanley Kubrick, est un « film complet, avec un début, un milieu et une fin ».

La seconde s'ouvre sur le superbe scope noir et blanc de Gordon Willis dans *Manhattan*, le même qui avait éclairé les deux *Parrain* de Coppola. Woody lui-même le confesse : « Ma collaboration avec Gordon Willis marque le début de ma maturité de cinéaste. [...] J'ai travaillé avec lui dix ans d'affilée. »

Woody Allen décroche trois oscars en 1978 pour *Annie Hall* (meilleur film, meilleur réalisateur, meilleur scénario). Un triomphe ! Ils ne sont pas nombreux ceux qui ont pu rafler trois statuettes la même année, sans compter la récompense de la meilleure actrice pour Diane Keaton.

En fait, tout commence avec *Prends l'oseille et tire-toi*. Son premier « vrai » film, co-écrit avec son copain d'enfance Mickey Rose ; celui qu'il mènera de bout en bout et qui lui permettra d'affirmer à jamais son indépendance. « Ils m'ont carrément donné carte blanche, et laissé toute liberté de travailler comme je l'entendais. J'ai obtenu le *final cut*, et tout ce que je voulais. [...] Depuis ce jour, personne ne s'est jamais mêlé d'intervenir sur aucun de mes films. »

> **« Les gens croient que je suis un intellectuel parce que je porte des lunettes et ils croient que je suis un artiste parce que mes films perdent de l'argent. »**

Par la suite, Woody alterne, souvent avec bonheur – parfois aussi avec moins de chance – les films de distraction et les films d'introspection. *Broadway Danny Rose*, *La Rose pourpre du Caire* ou *Coups de feu sur Broadway* d'un côté ; *Intérieurs*, *September*, *Hannah et ses sœurs* ou *Crimes et délits* de l'autre. De même, à partir de

Après les comédies burlesques, *Annie Hall* (1977) marque un tournant dans la carrière de Woody Allen. Avec ce film, il déploie ses talents d'auteur de comédie dramatique.

Zelig (1983), le cinéaste prend soin de varier entre comédies et drames : il joue son personnage de « Woody » dans les premières et se contente d'écrire puis de tourner les seconds. Mais chaque opus, quelles que soient sa trame et sa tonalité, porte la griffe Woody Allen. Un style inimitable et reconnaissable entre tous. Presque un genre en soi. Ne dit-on pas d'ailleurs que l'on va voir le dernier Woody Allen comme on parlerait d'*un* Fellini ou bien d'*un* Hitchcock ?

La tornade *Annie Hall*

Le film aux quatre oscars – trois pour lui et un pour Diane Keaton – a tout changé. Tant dans le regard du public que dans celui des professionnels. Mais lui ne changera pas...

Longtemps, Woody Allen ne jura que par les Marx Brothers – « Je suis marxiste, tendance Groucho ! » – puis, insensiblement, il ouvrit les portes de son panthéon personnel à des poids lourds du cinéma tels Fellini, Antonioni ou Bergman.

« La célébrité m'a apporté un gros avantage : les femmes qui me disent non sont plus belles qu'autrefois. »

La mue allénienne se produit ainsi en 1977 avec *Annie Hall*, qui devait à l'origine s'intituler *Anhedonia* (littéralement en grec « incapacité à éprouver du plaisir »). C'est la première œuvre du « nouveau » Woody Allen, marquée par un tournage éreintant de dix mois : « Pour la première fois, j'ai eu le courage de laisser tomber les clowneries. [...] Je m'étais dit : "Cette fois, je vais essayer de faire un film plus profond, même au risque de le rendre moins drôle. Peut-être

qu'ainsi émergeront de nouvelles valeurs, susceptibles d'intéresser le public". »

Et le charme opère d'emblée. Le public se rue en masse. Le box-office frôle les 25 millions de dollars. Le film touche le gros lot aux Oscars de l'année suivante avec quatre récompenses et non des moindres : meilleur film, meilleur réalisateur, meilleur scénario et meilleure actrice pour Diane Keaton, de son vrai nom Diane... Hall (Keaton étant le nom de jeune fille de sa mère) ! C'était pour elle un rôle en or : « Annie Hall est sans doute le premier personnage de femme vraiment valable que j'aie écrit. » Woody a surtout le don de faire éclore le talent comique de son ex-compagne : « On oublie les gags, mais pas le personnage. [...] Dans toutes les scènes, elle est toujours drôle. » Dans Annie Hall, Woody a « un comique facile, mais elle, elle a un comique de caractère », relève Éric Lax.

Diane Keaton et Woody Allen dans *Annie Hall* qui remportera tous les suffrages en 1977.

Avec ces 90 minutes, Woody intègre le cercle très fermé des plus grands. Il surpasse même Orson Welles, le seul avant lui à avoir été nominé dans les trois catégories pour *Citizen Kane* en 1941 (auteur, réalisateur, film) mais qui avait dû se contenter d'une seule récompense. Pourtant, le nouveau héros se tient à distance de l'usine à rêves. Il ne vient même pas chercher ses statuettes dorées en cette soirée du 28 mars 1978 ! C'était un lundi... Et le lundi, l'ami Woody se défoule sur sa clarinette au Michael's pub. À minuit, le cinéaste le plus titré depuis *Autant en emporte le vent* (1939) rentre tranquillement dormir chez lui. Les journaux du lendemain matin se chargeront de lui révéler ses exploits...

Diane Keaton décroche l'oscar de la meilleure actrice pour *Annie Hall*.

La tentative *Intérieurs*

Entre *Annie Hall* et *Manhattan*, Allen a été tenté de bousculer les idées reçues qui s'attachaient déjà à son personnage. Ce sera *Intérieurs*, un film sombre et grave. Un fiasco critique.

Pas question de mentionner les Oscars lors de la promotion du film. Pas question non plus d'exploiter le filon de la comédie dramatico-sentimentale haut de gamme, légère et grave à la fois, sur le temps qui passe et le bonheur qui file entre les doigts. Du moins pas tout de suite.

Woody bascule plutôt vers l'une de ses œuvres les plus tourmentées et les plus sombres de son répertoire : *Intérieurs*. Le premier film duquel il est absent. Le seul film de Bergman que Bergman n'ait pas tourné dit-on ! À l'époque, Arthur Krim, le patron de la United Artists qui tenait Woody pour son fils spirituel, lui avait accordé une sorte de bon de sortie de l'univers comique : « Vous avez fait des films très drôles, et si maintenant, vous vous sentez capable de passer à autre chose, allez-y ! Vous l'avez bien mérité. » Cette escapade tourmentée (le film scrute la réaction de trois sœurs au divorce de leurs parents) sera d'autant plus écourtée que la critique sera calamiteuse. Et le cinéaste de se souvenir : « Les gens furent choqués, déçus, parce que j'avais rompu le contrat qui nous liait implicitement. Surtout en réalisant un tel film... Vraiment pas le genre de drame que le public américain apprécie. [...] Ils furent gênés par cette atmosphère un peu solennelle [...] et, pour mon premier drame, mon inexpérience et ma gaucherie m'ont sans doute desservi. » *Exit* donc l'influence des *Trois sœurs* de Tchekhov et de *Cris et chuchotements* de Bergman.

> **« Si vous n'échouez pas de temps en temps, c'est que vous ne prenez pas assez de risques. »**

Woody revient au style qui l'a fait roi dès 1979 avec *Manhattan*, que d'aucuns considèrent comme son chef-d'œuvre : la *masterpiece* de sa filmographie, le « seul grand film des années soixante-dix » selon le célèbre critique américain Andrew Sarris. Et pourtant, au départ, Allen en était tellement déçu qu'il était prêt à le sacrifier : « Je voulais demander à United Artists de ne rien en faire. J'étais même prêt à réaliser un autre film gratuitement, pour qu'ils acceptent de mettre *Manhattan* à la poubelle » !

Diane Keaton et Woody Allen sur le tournage de *Intérieurs* (1978).

Une *Rose pourpre* venue d'ailleurs

Ce n'est ni le plus récompensé, ni le plus populaire des films de Woddy Allen. Mais c'est, avec *Match point*, l'un de ses préférés. *La Rose pourpre du Caire* est un coup de maître poétique.

Dans *La Rose pourpre du Caire* (1985), le réalisateur rend hommage à la comédie musicale des années cinquante et explore « le charme de l'imaginaire en opposition à la douleur de vivre ».

S'il ne devait en rester qu'un, ce serait celui-là : *La Rose pourpre du Caire*. Le fameux opus qu'il emporterait à coup sûr sur son île déserte (à Manhattan !). Il s'agit du film préféré de Woody Allen, bien que ce ne soit ni le plus encensé par la critique, ni le plus performant au box-office – même s'il a fait un tabac en Europe. Au contraire, il est même allègrement égratigné. « Tout le monde m'a dit : "Pas étonnant que ça soit votre film préféré. Personne ne l'a aimé. En fait, vous voulez protéger votre enfant dont vous êtes seul à ne pas voir les difformités." Moi, j'ai toujours répondu : "Pas du tout ! Je crois que c'est le meilleur film que j'aie jamais réalisé." Enfin telle est mon opinion... » Pourquoi ? Parce que c'est sans doute le seul où il s'est approché au plus près de son envie de cinéma.

Le fait est que Woody Allen a eu là une idée de génie en imbriquant étroitement réalité et fiction, lorsque le héros d'un film finit par traverser l'écran et rejoindre « pour de vrai » une modeste serveuse, le temps d'une romance impossible.

> **« L'homme est une créature prédestinée à exister dans son époque, même si ce n'est pas là qu'on rigole le plus. »**
>
> *Destins tordus*

Et puis, le tournage a pris pour lui le goût d'une petite « madeleine » de Proust, en lui rappelant les comédies qu'il affectionnait tant étant jeune : « Ces comédies pétillantes des années trente-quarante, peuplées de personna-

Woody Allen et Mia Farrow sur le tournage de *La Rose pourpre du Caire* (1985).

ges romanesques en smoking, partageant leur temps entre des boîtes de nuit et de somptueux appartements, où le champagne coule à flots. »

La Rose pourpre marque enfin l'apparition d'une actrice clé dans l'œuvre du réalisateur, prompte à intégrer sa tribu : Dianne Wiest, celle que Woody Allen tient « pour l'une des plus grandes actrices d'Amérique [...] en quel que registre que ce soit,

comique ou tragique. [...] Quoi qu'elle fasse, elle est tout simplement brillante. » Ce n'est pas un hasard si on la retrouve au générique de ses trois films suivants, *Hannah et ses sœurs*, *Radio days* et *September*. Avec Diane Keaton et Mia Farrow, Dianne Wiest est indiscutablement sa troisième Grâce, celle pour qui il se « débrouillera toujours pour [lui] ménager un rôle ».

Cinq bobines

Pour Woody Allen, un bon film comique ne doit pas excéder cinq bobines, soit à peine 1 h 30 de projection. Car quel que soit le tempo du scénario ou du jeu des acteurs, il faut toujours accélérer pour soutenir l'attention des spectateurs.

« **D**ans une comédie, le rythme est toujours un problème. Il y a très peu de grandes comédies, et même les plus grandes ont une part de langueur. On ne s'en sort pas. » Pour Woody Allen, tout est dans le tempo. La virtuosité de la plupart de ses films réside dans leur progression syncopée : ils sont nerveux, serrés, compacts. Bref, ils n'excèdent pas cinq bobines. Tout juste le format du long métrage classique. Son maître en la matière ? René Clair, le réalisateur de *Sous les toits de Paris* ou de *C'est arrivé demain*. « Quand il tournait un plan », raconte Woody Allen, « et qu'à la quatrième ou cinquième prise tout était déjà parfait, il disait : "C'était très bien, les acteurs étaient très bien, tout était en place. On ne peut pas faire mieux. Mais, avant de plier, j'aimerais qu'on en tourne encore une, mais très vite". L'équipe tournait la prise, et naturellement, c'est celle qu'il retenait. Je comprends vraiment qu'on agisse ainsi, car même si on a l'impression d'aller très vite au tournage, le résultat semble toujours infiniment plus lent à l'écran. »

> **« Si seulement Dieu pouvait me faire un signe ! Comme faire un gros dépôt à mon nom dans une banque suisse. »**

L'élève Allen prend évidemment bien soin d'appliquer les recettes de maître Clair. Il confie ainsi à Stig Björkman : « Je me souviens d'une séquence entre Max von Sydow et Barbara Hershey dans *Hannah et ses sœurs*. Ils étaient censés s'engueuler. Ils avaient répété de leur côté, sans moi. Quand je les ai vus jouer, le résultat m'a paru parfait, à ceci près que la scène durait deux fois plus longtemps qu'elle ne dure à présent dans le film. Ils étaient ter-

HANNAH AND HER SISTERS

WOODY ALLEN   MICHAEL CAINE
MIA FARROW   CARRIE FISHER
BARBARA HERSHEY   LLOYD NOLAN
MAUREEN O'SULLIVAN   DANIEL STERN
MAX VON SYDOW   DIANNE WIEST

JACK ROLLINS CHARLES H. JOFFE   SUSAN E. MORSE   CARLO DI PALMA
JACK ROLLINS CHARLES H. JOFFE   ROBERT GREENHUT   WOODY ALLEN
ORION

René Clair,
l'un des maîtres de Woody Allen,
sur le plateau des *Belles de nuit*.

riblement lents. En l'occurrence, je n'ai eu qu'une seule chose à faire, à savoir, leur dire : "Accélérez le tempo !" »

Depuis *Bananas* (1971), chaque Woody Allen s'enchaîne sans temps mort ou presque. Certains démarrent même pied au plancher. Sans doute faut-il y voir une dé- formation professionnelle de l'époque où le cinéaste arpentait les planches des ca- barets : « Pour pouvoir accrocher le public, il faut particulièrement soigner le début et la fin d'un numéro, leur conférer une qualité dramatique propre. » D'où son soin apporté à la toute première image d'un film et à sa dernière réplique.

Bonne presse...

Bien qu'il soit souvent encensé par la critique, l'homme n'est pas vraiment _bankable_[1] dans le métier. La courbe de ses entrées sur la durée reste désespérément plate. Sauf exceptions.

À une poignée d'exceptions près, Woody Allen a toujours été fâché avec les chiffres. Du moins ceux du box-office. Le fait est que bon nombre de ses films, qui ont été pourtant plébiscités par la critique à leur époque, n'ont jamais emballé le grand public. Les scores sont souvent restés confidentiels. _La Rose pourpre du Caire_ ? « Le film a été extrêmement bien accueilli par la critique, mais quasiment personne n'est allé le voir », confesse l'auteur bien des années plus tard. Idem pour _Zelig_ – « encensé par la critique » – ou _Radio days_ – « bien reçu » – ou encore _Broadway Danny Rose_, « qui était pourtant une bonne vieille comédie à l'ancienne, [mais] a connu le même sort ».

> **« Je crois qu'il y a quelque chose qui nous observe. Malheureusement, c'est le gouvernement. »**

À chaque fois, le public a boudé les recommandations des journaux. L'apparition irrésistible de Mia Farrow en bimbo mafieuse n'a pas suffi à faire décoller les ventes. _Broadway_ n'a ainsi rapporté que 5,5 millions de dollars aux États-Unis pour un budget de 8 millions, même si l'opus s'est ensuite rattrapé en Europe.

Le pire est atteint avec _September_ en 1987. Ce film tourmenté, tourné en un lieu unique et mal ficelé sur le plan artistique, est un désastre commercial ; un fiasco sans nom. Seule circonstance atténuante invoquée par John Baxter : « La lassitude du film faisait écho à celle d'Allen. Il avait perdu le plaisir de faire des films. »

Il est vrai qu'à ce moment-là, Woody avait déjà quinze longs métrages à son actif en dix-sept ans. Lucide, il avait eu le courage d'admettre : « Je savais très bien que _September_ ne ferait pas un sou. Pas un radis. » Et de fait, le résultat fut consternant : le film récolta à peine un million de dollars en Amérique... Soit 10 % de sa mise. « Quand j'essaie de faire un film sérieux », dit-il à Éric Lax en janvier 2000, « je peux facilement me cas-

Du propre aveu du cinéaste, *September* (1987) est un film sans inspiration qui n'emporta d'ailleurs ni l'adhésion des critiques ni les suffrages du public.

ser la gueule. Il m'est arrivé de tomber dans le piège consistant à trop en faire, et c'est alors que j'ai connu mes échecs les plus embarrassants. »

[1] C'est-à-dire capable de garantir le succès à un film par sa seule participation.

... Et mauvais chiffres

Les films à succès et les œuvres marginales alternent chez Woody Allen, si bien que l'homme est toujours à la merci des critiques.

Pour se consoler de ses flops commerciaux à répétition, on pourrait supposer que l'artiste cherche à puiser un certain réconfort dans les critiques parfois mirifiques qui ont escorté ses œuvres. Que nenni ! Il s'est toujours plu à afficher un souverain mépris pour les commentaires des autres, bien qu'il cache mal malgré tout sa satisfaction : « Je vis un peu en autruche. Je ne lis pas les critiques de mes films ni les articles que l'on écrit sur moi, car tout cela est dénué de sens à mes yeux. [...] Lorsque j'ai commencé dans le métier, on écrivait sans cesse des tas d'articles sur moi. Il y avait des gens qui appréciaient ce que je faisais et d'autres qui n'appréciaient guère. Mais cela ne m'a jamais fait ni chaud ni froid. » Quoique...

En février 2006, Allen a la faiblesse de croire que le sort de toute son œuvre dépend des critiques... À moins que ce ne soit là bien sûr une ultime pirouette pour s'exonérer par avance de tout échec pu-

> **« Quand on est intelligent, il est plus facile de faire l'imbécile que l'inverse. »**

blic, en s'abritant derrière son étiquette de cinéaste « Art et Essai » : « Vous savez, avec quelqu'un comme moi, c'est toujours la courte paille », relate Éric Lax. « Je dépends des critiques. Si un type aime le film, et écrit un bon article, le film risque de marcher. [...] Il y a beaucoup de réalisateurs, vraiment beaucoup, dont les films ne dépendent pas des critiques. Quoi qu'on écrive sur eux, ils ont un public. Il me suffit de vous parler de Spiderman. Avec moi, ça dépend de l'auteur de l'article. »

En fait, le succès de Woody est ailleurs. L'homme est populaire au sens où il est assimilé à un « people », un acteur du sys-

Match point (2005) avec Scarlett Johansson et Jonathan Rhys-Meyers, l'un des plus gros succès commerciaux du cinéaste américain.

Sur le tournage de *Match point* (2005) : Scarlett Johansson et Woody Allen.

tème. Il est reconnu, mais ses films ne sont guère vus : « Si vous venez faire un tour dans la rue avec moi », glisse-t-il dans ses entretiens avec Stig Björkman, « vous aurez l'impression que mes films marchent du feu de Dieu, que tout le monde court les voir, alors que ce n'est pas vraiment le cas. »

Il est cependant des exceptions heureuses dans sa filmographie : *Hannah et ses sœurs* (1986) a récolté 16 millions de dollars avec une mise de départ d'un peu plus de 6 millions. De quoi permettre à Mr Allen d'intégrer le Top 20 des stars les mieux payées. Vingt ans plus tard, il signe son plus gros succès comptable avec *Match point*, un drame à la Dostoïevski où il est question d'amour et de meurtre.

⑦ Les planètes alléniennes

Woody Allen puise son inspiration dans ses innombrables références. Boris Vian, Charlie Chaplin, quelques grands artistes de jazz et le célèbre Ingmar Bergman sont autant de noms qui guident le cinéaste, tant dans ses films que dans sa vie. Le jazz reste un élément primordial de son existence... avec le poker et New York.

L'illusionniste

Petit, il voulait être gangster, boxeur ou magicien. La magie le mènera tout droit à la comédie.

Woody Allen a du Mandrake en lui. Petit, il excellait à divertir ses proches de petits tours. Comblé par une boîte de magie qu'il avait reçu pour ses 10 ans, le petit Woody passait même son temps, entre deux séances de cinéma, à essayer d'en inventer de nouveaux. Aussi fréquentait-il assidûment la boutique

> **« Et si tout n'était qu'illusion et que rien n'existait ? Dans ce cas, j'aurais vraiment payé mon tapis beaucoup trop cher. »**
>
> *Without feathers*

Circle Magic Shop de la 57ᵉ rue ouest lors de ses escapades à Manhattan. À 13 ans, il passa au stade supérieur en décortiquant la bible d'Ottakar Fisher, *Illustrated Magic*.

À 60 ans passés, l'artiste avoue d'ailleurs à Stig Björkman qu'il a encore de beaux restes : « Je me suis entraîné pendant des jours, des semaines, des années. Je suis encore capable de faire certains tours de cartes, de manipuler des pièces de monnaie ou des petits trucs comme ça. »

Dans le sketch des *New York stories* qu'il a signé, intitulé « Le Complot d'Œdipe », Woody Allen adresse ainsi délibérément un clin d'œil géant à l'univers de la magie : « Je me suis demandé s'il ne serait pas amusant de raconter l'histoire d'un gars qui a tué sa femme, et qui la voit réapparaître dans le ciel, pour le tourmenter. Finalement, j'ai pensé qu'il serait plus drôle encore que ce soit ma mère, une mère persécutrice... Restait à trouver un prétexte pour la faire monter au ciel, et c'est là que m'est venue l'idée du spectacle de magie. Elle disparaît, et réapparaît en plein ciel. »

Son goût immodéré pour la magie conduit finalement notre prestidigitateur amateur à la... comédie. Car, au fond, un gag n'est jamais qu'un « tour de passe-passe intellectuel » (dixit John Baxter). Mieux : pour Woody, la magie est tout simplement la source de sa longévité artistique. Son

Œdipus Wrecks dans *New York Stories* (1988), trois histoires se déroulant à New York. Chacune a été dirigée par un metteur en scène différent : *Apprentissages* de Martin Scorsese, *La Vie sans Zoé* de Francis Ford Coppola et *Le Complot d'Œdipe* (*Œdipus Wrecks*) d'Allen.

viatique au cinéma. « C'est ainsi, en utilisant [...] tous ces petits subterfuges, ces talents de showman, tout ce que j'avais appris en piochant, enfant, dans mes livres de magie, que j'ai réussi à faire illusion, et que ça dure depuis maintenant plus de cinquante ans. [...] Houdini, Blackstone,

Thurston, tous les prestidigitateurs de ma jeunesse peuvent être fiers de moi. » Et d'ajouter crânement : « Si seulement je plaisantais. »

Maître Bergman

Plus encore que Fellini ou Kurosawa, son maître ès cinéma n'est autre que l'impénétrable Suédois Ingmar Bergman.

Entre Bergman et lui, l'histoire remonte au début des années cinquante. Le premier vient de sortir son douzième film, *Monika* ; le second ne s'en remettra pas. De là naît une étrange relation… téléphonique. Car les deux hommes ne se rencontreront qu'une fois de visu, lors du tournage de *Manhattan*.

Sa vénération pour Bergman – « Je pense toujours qu'il s'agit du plus grand cinéaste qui ait jamais existé » – pousse Allen à appeler à ses côtés Sven Nykvist, le fameux chef opérateur du maître suédois, celui qui s'est tant illustré avec entre autres *Cris et chuchotements* ; mais aussi Max von Sydow, l'un de ses acteurs fétiches, pour *Hannah et ses sœurs*.

Les Fraises sauvages (1957) de Bergman inspirent…

« En fait, la seule chose qu'il y a eu entre moi et le fait d'être un grand artiste, c'est moi. »

À vrai dire, Woody Allen est littéralement fasciné par l'austère cinéaste nordique. Au point que trois de ses films, *Intérieurs*, *Songe érotique d'une nuit d'été* et *Harry dans tous ses états*, s'inspirent ouvertement de quatre opus bergmaniens : *Face à face*, *Sonate d'automne*, *Sourires d'été* et *Les Framboises sauvages*.

Si Woody Allen demeure un spécialiste de la comédie, un genre qui a clairement toujours échappé à Ingmar Bergman, l'Américain emprunte toutefois volontiers aux histoires compliquées et désabusées du Suédois et à sa manière de capter les relations humaines.

Pour autant, dans l'univers du drame, Woody peine à égaler le sage de l'île de Faro. John Baxter a cet avis définitif en décortiquant *Intérieurs* : « C'est du mauvais Bergman. Il s'efforce d'atteindre le style visuel et sonore de Bergman, sans se rendre compte que son austérité vient d'un puritanisme intime. » Un critique du *New York Times* exécute même l'Américain d'une phrase : « Allen ? Sérieux et intelligent quand il est drôle, mais médiocre et banal

... **Woody Allen pour *Harry dans tous ses états* (1997).**

quand il est sérieux. » L'intéressé aura au moins le mérite d'admettre un quart de siècle plus tard : « Je suis sûr que j'arriverai toujours à faire rire les gens plus qu'Ingmar Bergman. On pourra réaliser chacun dix comédies, les miennes seront plus drôles, feront plus rire le public. Pour les films sérieux, évidemment, c'est le contraire. »

Cruelle confirmation de l'histoire : au moment même où Woody Allen se débat avec son premier film sombre, Ingmar Bergman boucle un de ses chefs-d'œuvre : *Sonate d'automne*, qui remporte le prix de la critique new-yorkaise pour la meilleure actrice avec Ingrid Bergman.

Étranges connivences avec Boris Vian et Charlie Chaplin

À priori, rien ne les relie. Et pourtant, les parcours d'Allen et de Chaplin sont étrangement similaires. Il en va de même des affinités artistiques entre Boris Vian et lui.

Les connexions entre Woody Allen et Boris Vian ne laissent pas d'étonner. À 18 ans, Woody compose ses premiers sketches. À 20 ans, Boris couche ses premiers poèmes. Le premier s'évertue à souffler dans sa clarinette quand le second s'époumone à la trompette. L'un avoue être un obsédé sexuel et l'autre l'écrit mot pour mot dans *Combat* en 1950. Vian signe quantité de critiques dithyrambiques sur Sidney Bechet, celui-là même qu'Allen vénèrera plus tard. Le septième art accouche de *Woody et les robots* en 1973, mais dix-neuf ans auparavant le magazine *Arts* livrait un article de Boris Vian intitulé « Un robot-poète ne nous fait pas peur ». L'écrivain était aussi à ses heures un passionné de cinéma, au point de fonder avec ses amis Raymond Queneau et Michel Arnaud une société coopérative de production de scénarios. Le cinéaste, lui, a toujours été un touche-à-tout génial, passant de l'écriture au one man show.

Il en va de même entre Woody Allen et Charlie Chaplin, qui ont su habilement faire rire de leurs névroses. Quasiment des frères, selon John Baxter dans sa monumentale biographie *Woody Allen* : « Tous deux viennent de la classe ouvrière. Tous deux ont commencé par la scène. Tous deux, à peine entrés dans le cinéma, se sont emparés du contrôle du média aux dépens de leurs scénaristes et réalisateurs. Tous deux ont réalisé des films de plus en plus chers et de

Boris Vian.

> « **Les rêves creux sont au nord. La réalité est à l'ouest. Les fausses espérances sont à l'est, et il me semble bien que la Louisiane est au sud.** »

plus en plus complexes, [...] en quête d'une insaisissable perfection. Tous deux ont failli être détruits au sommet de leur carrière par des scandales sexuels impliquant de très jeunes femmes. Enfin, tous deux, alors que leurs carrières plafonnaient en Amérique, ont cherché de nouveaux publics en Europe. »

Seule différence ? Woody en personne ne se prive pas de déboulonner l'idole Charlot, dont il estime qu'il a saboté son personnage à la fin de sa carrière. Parfois, « on passe de l'emploi de bouffon à celui de roi. [...] Quelqu'un comme Chaplin a vraiment eu ce problème. Il était déchiré. Il jouait le "petit homme", mais il était devenu [...] le type qui aimait donner son opinion sur la peine capitale, sur le fascisme. Il n'était plus très drôle. À vrai dire, dans ses derniers films, je trouve qu'il était très mauvais. »

Les vies de Woody Allen et de Charlie Chaplin ont de nombreux points communs.

New York, New York

Fellini avait Rome ; Woody a New York. Entre l'Américain et Big Apple, c'est une relation passionnelle, qui atteindra son paroxysme dans *Manhattan*.

Quels sont les ressorts de l'imaginaire allénien ? Où puise-t-il ses trouvailles ? « Mes héros ne viennent pas de la vie mais de leur mythologie, de la diva au gangster, au producteur, au dramaturge idéaliste, à l'intellectuel marxiste », confiait-il à *Positif* durant l'hiver 1995. En fait, son rapport au réel était faussé d'emblée, sans doute sous le poids de ses jeunes heures passées dans les salles obscures, comme il l'indique à Jean-Michel Frodon : « À l'époque, j'ai passé beaucoup de temps à fuir la vie réelle au cinéma, jusqu'à devenir incapable de faire la différence entre l'un et l'autre. »

« Un comportement bon et honnête n'est pas seulement moral, mais peut également être pratiqué par téléphone. »

Destins tordus

Réel ou non, son univers, c'est New York. Sa déclaration d'amour à Big Apple est là pour témoigner de son attachement indéfectible à cette ville qui l'a vu naître : « Je l'aime, c'est irrationnel. [...] Vous aimez une femme, c'est une ivrogne, elle vous trompe, mais vous ne pouvez pas vous empêcher de l'aimer ! »

Pour Woody, elle est tellement plus qu'une ville. Au fil des années, elle s'est même imposée comme l'un des personnages récurrents de ses films. Dans *Manhattan*, c'est flagrant. Tout y a été tourné en décors naturels. Son huitième film s'ouvre ainsi par une série de plans magnifiques de la ville, enveloppés par le *Rhapsody in Blue* de Gershwin et ponctués par la voix *off* du héros, Ike, un scénariste de télévision que l'on entend réciter le début de son nouveau roman : « Chapitre 1. Il adorait New York. Il l'idolâtrait au-delà de toute mesure... »

Magnifiée par le noir et blanc stylisé de Gordon Willis, New York colle au récit d'Ike : « Il était dur et romantique comme la ville qu'il aimait. [...] New York était sa ville. Et le serait toujours. » Vingt ans plus tard, Woody délaisse à nouveau la couleur dans *Celebrity* (1998) et confesse que « les rues de New York sont splendides en noir et blanc. » Pas étonnant alors que les Européens, et surtout les Français, aient de la Grosse Pomme une vision fan-

Dans *Manhattan* (1979), Woody Allen a rassemblé tous les thèmes qui l'obsèdent : les femmes, l'écriture, le jazz et bien sûr New York, cité incontournable de la culture en Amérique dont l'art moderne est le symbole.

tasmée. Leur prisme, c'est Woody. Il a su sculpter l'imaginaire de la ville pour la rendre à nulle autre pareille. Il avoue du reste à Éric Lax : « Maintenant, quand il m'arrive de faire visiter New York aux spectateurs, [...] c'est strictement subordonné à l'intrigue. Auparavant, j'avais vraiment besoin de montrer New York comme une ville magique, et avec *Manhattan* j'ai satisfait ce désir. »

L'idole Bud

Mordu de jazz, Allen a succombé au charme envoûtant des plus grands. Mais pas seulement. Son idole musicale absolue est un certain Bud Powell.

En matière picturale, Woody serait plutôt du genre minimaliste (comme les génériques de ses films, en lettres blanches sur fond noir). Il adore ainsi deux peintres contemporains, Cy Twombly et Richard Serra. Et bien entendu, il retient volontiers des valeurs sûres telles que Mark Rothko ou Jackson Pollock. Parmi les classiques, émerge chez lui un triptyque : les expressionnistes allemands, les naturalistes américains du XXᵉ siècle et les incontournables impressionnistes français, notamment Pissarro.

« Quand j'écoute trop Wagner, j'ai envie d'envahir la Pologne. »

Radio days

Au rayon cinéma, l'artiste raffole de comédies musicales – « Je dois les avoir pratiquement toutes vues. » – du moins celles des Vincente Minnelli, Stanley Donen et autres George Cukor, produites à la grande époque par la MGM. De *Chantons sous la pluie* au *Chant du Missouri* en passant par *Gigi* et *My fair lady*, sans oublier *Tous en scène* ou encore *Un jour à New York*...

Sur le plan littéraire, il apprécie plutôt Flaubert ou Kafka, parmi les auteurs du passé, et Saul Bellow ou Philip Roth pour ceux de sa génération ; deux écrivains qu'il juge « incroyablement observateurs, très intelligents et extrêmement drôles. »

Musicalement parlant, enfin, le mélomane Allen a toujours eu un goût immodéré pour le jazz New Orleans : « Après mon adolescence, j'allais tout le temps écouter du jazz. Il ne se passait pas une semaine sans que j'aille dans une boîte ou une autre. » S'il avoue avoir un faible pour Charlie Parker, John Coltrane et Thelonious Monk, c'est surtout pour Bud Powell que son cœur balance : « Il était vraiment au-dessus du lot. Il réunissait toutes les qualités nécessaires à un musicien. [...] Il avait un incroyable sens du rythme,

Bud Powell, pianiste de jazz surdoué.

une technique sans faille, une expressivité extrêmement émouvante. [...] Tout ce qu'il jouait était grave et sombre, mais aussi plein de passion, de blues, avec un swing magistral, beaucoup d'extravagance et de folie. » Un seul regret ? Woody n'a jamais vu sur scène ce pianiste qui inspirera Bertrand Tavernier pour son film *Autour de minuit*. L'un était à New York quand l'autre était à Paris, et inversement. Mais qu'importe au fond, puisqu'il peut retrouver l'âme de son idole logée dans quelques centimètres carrés sur le double album *The Amazing Bud Powell*.

Woody Bechet

Il aimait tellement Sidney Bechet et sa clarinette qu'il appela ses deux filles en hommage à l'univers du clarinettiste.

Ce fut pour lui une révélation. À 12 ans, Woody Allen entendit pour la première fois quelques notes de jazz New Orleans. C'était Sidney Bechet à la radio. Pourtant, à la fin des années quarante, le « New Orleans » – un genre dont la marque de fabrique est une structure à quatre temps et une musique très mélodique – était déjà une variation désuète du jazz. Deux ans plus tard, au tournant des années cinquante, Woody, adolescent, commence à étudier le saxophone soprano – comme Bechet – mais se ravise et se rabat très vite sur la clarinette. Son futur instrument fétiche. Plus tard, il s'achète une *Rampone* à 12 clefs, fabriquée en Italie en 1890.

Depuis, dans tous ses films ou presque, Woody Allen n'a eu de cesse de rythmer ses images au son du New Orleans. À New York, il forme d'ailleurs au début des années soixante-dix son

> « J'aimerais terminer sur un message d'espoir. Je n'en ai pas. En échange, est-ce que deux messages de désespoir vous iraient ? »

propre groupe, le *New Orleans Funeral & Ragtime Orchestra*. Avec des musiciens 100 % amateurs, comme lui : un enseignant au trombone, un agent de change au cornet, un professeur d'université au piano, un vendeur de radios à la batterie et un de ses amis de toujours au banjo.

Dès l'automne 1970, la petite formation sévit tous les mercredis soir au Barney's Google sur la 68e rue est. Puis vient l'heure du fameux Michael's, un pub moins chaleureux mais tellement plus

Woody Allen jouant de la clarinette sur le plateau du *Tonight show* de Johnny Carson, célèbre animateur de télévision.

C'est en écoutant Sidney Bechet que Woody Allen découvre le jazz New Orleans, musique qui émaille la plupart de ses films.

grand de la 55ᵉ est, et enfin le dernier en date, le Café Carlyle sur la 76ᵉ est.

En 1996, telle une rock star, Woody part en tournée. En Europe, de surcroît ! Au départ, bien sûr, il ne voulait pas. Trop de dates. Trop de villes qu'il ne connaissait pas. Mais la ténacité de son amie productrice, Jean Doumanian, fait le reste.

Et notre jazzman de s'embarquer pour un programme éreintant de quatorze villes en vingt-trois jours, lequel est consigné dans le documentaire *Wild Man Blues*. Durant sa halte parisienne, il se produit au vénérable Olympia et compte parmi ses fans d'un soir... Lionel Jospin, alors Premier ministre, et Jack Lang, ancien ministre de la Culture.

Poker man

Bien avant que le poker ne devienne tendance, Allen a été un adepte des carrés d'as. Sur les tournages, entre deux prises, il y gagnera souvent de petites fortunes.

Allen aime les cartes et elles le lui rendent bien. Alors qu'il tente au début des années soixante de percer dans le showbiz en enchaînant les one man shows dans une multitude de clubs, notre homme redécouvre sa vieille passion. Mais là, il ne s'agit plus de faire des tours, bien plutôt de « faire de l'argent ». Durant ses parties de poker, il n'est pas rare alors que Woody double son salaire.

> ## « L'argent est plus utile que la pauvreté, ne serait-ce que pour des questions financières. »
>
> *Dieu, Shakespeare et moi*

À cette époque, le futur cinéaste gagne déjà royalement sa vie. D'après John Baxter dans la biographie qu'il lui a consacrée, Woody Allen pouvait ainsi exiger jusqu'à 5 000 dollars pour une seule apparition sur scène. Un cachet digne des futurs grands du monde du spectacle. En moyenne, l'humoriste touchait 10 000 dollars par semaine... En 1964, sa cote pour une représentation unique grimpe à 10 000 dollars la soirée !

Sur le tournage de *What's new, Pussycat ?* à Paris, Allen céda bien volontiers à son goût immodéré pour le jeu en se joignant très (trop ?) souvent à une table de poker « où l'on misait gros », que le producteur Charles K. Feldman tenait sans sa chambre. Et le pire est qu'il gagnait presque toujours. De quoi donner un peu de lustre à son maigre contrat de scénariste-interprète...

Woody récidive deux ans plus tard lors du tournage du faux James Bond, *Casino Royale*, avec là encore la même fortune aux cartes. « J'ai fait des marathons de poker, de 9 heures du soir à 8 heures du matin, nuit après nuit après nuit après nuit. [...] Quand on joue, le temps passe très vite. » Face à lui, pourtant, une brochette de pointures : Charles Bronson, Lee Marvin, John Cassavetes ou encore Telly Savalas, alias Kojak. Ses gains lui permettent cette fois d'offrir à sa femme une aquarelle d'Emil Nolde. Fin 1967, Woody Allen est définitivement associé au monde du jeu lorsqu'on lui offre de donner deux spectacles par soir pendant deux semaines au Caesars Palace de Las Vegas, pour la coquette somme de 50 000 dollars.

Annexes

Filmographie

Scénariste et interprète :

- *Quoi de neuf, Pussycat ?* (*What's new, Pussycat ?*) de Clive Donner, 1965
- *Tombe les filles et tais-toi* (*Play it again, Sam*) de Herbert Ross, 1972

Réalisateur :

1- *Prends l'oseille et tire-toi* (*Take the money and run*), 1969
2- *Bananas*, 1971
3- *Tout ce que vous avez toujours voulu savoir sur le sexe... sans jamais oser le demander* (*Everything you always wanted to know about sex (but were afraid to ask)*), 1972
4- *Woody et les robots* (*Sleeper*), 1973
5- *Guerre et amour* (*Love and death*), 1975
6- *Annie Hall*, 1977
7- *Intérieurs* (*Interiors*), 1978
8- *Manhattan*, 1979
9- *Stardust memories*, 1980
10- *Comédie érotique d'une nuit d'été* (*A midsummernight's sex comedy*), 1982
11- *Zelig*, 1983
12- *Broadway Danny Rose*, 1984
13- *La Rose pourpre du Caire* (*The Purple Rose of Cairo*), 1985
14- *Hannah et ses sœurs* (*Hannah and her sisters*), 1986
15- *Radio days*, 1987
16- *September*, 1987
17- *Une autre femme* (*Another woman*), 1988
18- *Le Complot d'Œdipe*, sketch de New York Stories (*Œdipus Wrecks*), 1988
19- *Crimes et délits* (*Crimes and misdemeanors*), 1989

20- *Alice*, 1990

21- *Ombres et brouillard (Shadows and frog)*, 1991

22- *Maris et femmes (Husbands and wives)*, 1992

23- *Meurtre mystérieux à Manhattan (Manhattan murder mystery)*, 1993

24- *Coups de feu sur Broadway (Bullets over Broadway)*, 1994

25- *Maudite Aphrodite (Mighty Aphrodite)*, 1995

26- *Tout le monde dit I love you (Everyone says I love you)*, 1996

27- *Harry dans tous ses états (Deconstructing Harry)*, 1997

28- *Celebrity*, 1998

29- *Accords et désaccords (Sweet and lowdown)*, 1999

30- *Escrocs mais pas trop (Small time crooks)*, 2000

31- *Le Sortilège du scorpion de jade (The curse of the jade scorpion)*, 2001

32- *Hollywood ending*, 2002

33- *La vie et tout le reste (Anything else)*, 2003

34- *Melinda et Melinda (Melinda and Melinda)*, 2004

35- *Match point*, 2005

36- *Scoop*, 2006

37- *Le Rêve de Cassandre (Cassandra's dream)*, 2007

38- *Vicky Cristina Barcelona*, 2008

Miscellanées alléniennes

Ses 3 films d'Hitchock préférés :

L'Ombre d'un doute,
Les Enchaînés,
L'Inconnu du Nord-Express.

« Contrairement à François Truffaut pour qui ces films seraient lourds de sens, hyper-signifiants, et véhiculeraient un message. Moi, je les trouve tout simplement agréables, distrayants, bref, parfaitement réussis par Hitchcock. En tant que simple divertissement, ces films sont de petits chefs-d'œuvre. Sans plus ».

Entretiens avec Stig Björkman

Ses émotions les plus fortes au cinéma :

Les Épilogues du *voleur de bicyclette, Citizen Kane* et *Le Septième Sceau.*

« Il y a des films qui m'émeuvent toujours aux larmes, chaque fois que j'en revois certains passages. (...) Ces films sont très forts, au plan émotionnel ».

Entretiens avec Stig Björkman

Sa devise : « J'aimerais être un autre »

Elle figure d'ailleurs dans la note biographique pour le premier recueil d'humour de Woody Allen, intitulé *Getting Even* (1971).

Sa première pige :

Le *New Yorker* a toujours été une référence. Le magazine chic et élitiste des urbains nantis cultivés. En cela, le titre fondé en 1925 par Harold Ross ne pouvait qu'emballer Woody Allen. En janvier 1966, ce fut la consécration. Après avoir essuyé plusieurs refus, l'ambitieux Allen eut l'intense satisfaction de voir son premier article publié. Puis, les piges s'enchaînèrent à raison de 1000 dollars forfaitaires par contribution. C'était là le maigre salaire de la gloire.

Sa « liste d'insomnie » de ses films préférés :

Son Top 15 américain dans le désordre :

Le Trésor de la Sierra Madre
Réalisateur : John Huston
Sortie : 1948

Assurance sur la mort
Réalisateur : Billy Wilder
Sortie : 1944

L'Homme des vallées perdues
Réalisateur : George Stevens
Sortie : 1953

Les Sentiers de la gloire
Réalisateur : Stanley Kubrick
Sortie : 1957

Le Parrain, II
Réalisateur : Francis Ford Coppola
Sortie : 1974

Les Affranchis
Réalisateur : John Huston
Sortie : 1948

Citizen Kane
Réalisateur : Orson Welles
Sortie : 1941

L'enfer est à lui
Réalisateur : Raoul Walsh
Sortie : 1949

Le Mouchard
Réalisateur : John Ford
Sortie : 1935

La Colline des hommes perdus
Réalisateur : Sidney Lumet
Sortie : 1964

Les Enchaînés
Réalisateur : Alfred Hitchcock
Sortie : 1946

L'Ombre d'un doute
Réalisateur : Alfred Hitchcock
Sortie : 1943

Un Tramway nommé désir
Réalisateur : Elia Kazan
Sortie : 1951

Le Faucon maltais
Réalisateur : John Huston
Sortie : 1941

Le Troisième Homme
(anglais)
Réalisateur : Carol Reed
Sortie : 1949

Son Top 15 européo-japonais, qui est aussi sa liste des meilleurs films du monde (en y incluant toutefois *Citizen Kane*) :

Le Septième Sceau
Réalisateur : Ingmar Bergman
Sortie : 1957

Rashomon
Réalisateur : Akira Kurosawa
Sortie : 1950

Le Voleur de bicyclette
Réalisateur : Vittorio De Sica
Sortie : 1948

La Grande Illusion
Réalisateur : Jean Renoir
Sortie : 1937

La Règle du jeu
Réalisateur : Jean Renoir
Sortie : 1939

Les Fraises sauvages
Réalisateur : Ingmar
Bergman
Sortie : 1957

Le Château de l'araignée
Réalisateur : Akira
Kurosawa
Sortie : 1957
Cris et chuchotements
Réalisateur : Ingmar
Bergman
Sortie : 1972

La Strada
Réalisateur : Billy Wilder
Sortie : 1944

Les 400 coups
Réalisateur : François
Truffaut
Sortie : 1959

À bout de souffle
Réalisateur : Jean-Luc
Goadard
Sortie : 1960

Les Sept Samouraïs
Réalisateur : Akira
Kurosawa
Sortie : 1954
8 ½
Réalisateur : Federico
Fellini
Sortie : 1963

Amarcord
Réalisateur : Federico
Fellini
Sortie : 1973
Sciuscia
Réalisateur : Vittorio De
Sica
Sortie : 1946

Ses comédies muettes
favorites : « La liste
est entièrement
occupée
par Buster Keaton et
Charlie Chaplin. »

Ses comédies musicales
préférées :

Chantons sous la pluie
Le Chant du Missouri
Gigi

Ses meilleures
comédies
à « intrigue » :

Comment l'esprit vient aux
femmes
Haute-Pègre
Rendez-vous

Entretiens avec Eric Lax

Réflexions cultes

LE GROS HOMME : Vous avez étudié la mise en scène à l'école ?
SANDY : Non, non, je n'ai pas étudié à l'école. C'est moi qu'on a étudié.

Stardust memories

ELLE : Tu ne crois à rien. Ta vie est nihilisme, cynisme, scandale et orgasme !
HARRY : En France, je serais élu avec un slogan pareil.

Harry dans tous ses états

Je suis marxiste, tendance Groucho.

Existe-t-il dans la nature quelque chose de réellement "parfait", à l'exception de la stupidité de mon oncle ?

L'Amour coupé en deux

Quand j'ai été kidnappé, mes parents ont tout de suite agi :
ils ont loué ma chambre.

Le sexe entre deux personnes, c'est beau. Entre cinq personnes, c'est fantastique...

L'argent est plus utile que la pauvreté, ne serait-ce que pour des questions financières.

Dieu, Shakespeare et moi

La vie n'a aucun but. Rien n'est durable. Même les œuvres de Shakespeare disparaîtront quand l'univers se désintégrera.

Destins tordus

Hollywood ? C'est une usine où l'on fabrique dix-sept films sur une idée qui ne vaut même pas un court métrage.

L'être humain a précédé l'Infini, même s'il n'est pas encore muni de toutes les options.

Destins tordus

Ce n'est pas que j'aie vraiment peur
de mourir, mais je préfère
ne pas être là quand ça arrivera.

Without Feathers

J'ai pris un cours de lecture rapide
et j'ai pu lire *Guerre et paix* en vingt
minutes. Ça parle de la Russie.

La plupart du temps, je ne rigole pas
beaucoup. Et le reste du temps je ne
rigole pas du tout.

Si seulement Dieu pouvait me faire
un signe ! Comme faire un gros dépôt
à mon nom dans une banque suisse.

New Yorker, novembre 1973

Évidemment, la science nous
a appris à pasteuriser le fromage.
Mais quid de la bombe à hydrogène ?

Mon allocution

La réponse est oui. Mais quelle était
la question ?

L'homme exploite l'homme et parfois
c'est le contraire.

Je ne veux pas atteindre l'immortalité
grâce à mon œuvre. Je veux atteindre
l'immortalité en ne mourant pas.

Woody Allen and his Comedy
(Edward Lax)

Un malade a besoin du plus grand
calme, et non d'une parade incessante
de faux culs venus s'extasier devant
sa bonne mine !

Destins tordus

J'aimerais terminer sur un message
d'espoir. Je n'en ai pas. En échange,
est-ce que deux messages de
désespoir vous iraient ?

Pour l'homme qui pense, la mort n'est pas une fin mais un commencement.

Destins tordus

Il y a une différence capitale entre "être" et "en être". Appartenir à l'un ou à l'autre groupe n'a aucune importance pourvu qu'on s'amuse.

Destins tordus

Des erreurs, j'en ai fait. D'abord, je suis né. Première erreur !

Une auto-stoppeuse est une jeune femme, généralement jolie et court vêtue, qui se trouve sur votre route quand vous êtes avec votre femme.

Un petit mot sur la contraception orale. J'ai demandé à une fille de coucher avec moi et elle a dit "non".

Woody Allen : Clown Prince of American Humor

Le sexe apaise les tensions. L'amour les provoque.

Non seulement Dieu n'existe pas mais en plus il est impossible de trouver un plombier le dimanche.
C'est dur de faire un film, mais travailler pour de bon, c'est pire !

Je tiens beaucoup à ma montre, c'est mon grand-père qui me l'a vendue sur son lit de mort.

Et si tout n'était qu'illusion et que rien n'existait ? Dans ce cas, j'aurais vraiment payé mon tapis beaucoup trop cher.

Les femmes de Woody Allen

Harlene Rosen :

Harlene Rosen rencontre Woody Allen dans un centre communautaire alors qu'elle est étudiante en philosophie. Leur passion commune pour le cinéma les rapproche. Harlene épouse Woody en 1956. Ils restent ensemble pendant six ans, puis divorcent. Quelques année plus tard, à la suite de blagues douteuses sur leur relation, Harlene Rosen conduira son ex-mari en procès pour diffamation. L'affaire se règlera finalement à l'amiable.

Louise Lasser :

Née le 11 avril 1939, Louise Lasser, actrice, épouse Woody Allen en février 1966. Elle connaît ses premiers succès grâce au chant et à la danse dans les théâtres de Brodway, puis se produit au cinéma. Parmi ses films les plus connus, on peut citer *Requiem for a dream* et *Fast food, fast women*. Mais ses rôles les plus insolites, elle les trouve dans les films de Woody Allen : *Tout ce que vous avez toujours voulu savoir sur le sexe... sans jamais oser le demander*, *Bananas*, *Men of crisis : The Harvey Wallinger Story* (TV), *Prends l'oseille et tire-toi*,

et enfin *Lily la tigresse*. Le couple se sépare en 1969.

Mia Farrow :

Maria de Lourdes Villiers Farrow, née le 9 février 1945, est la fille de John Farrow et de Maureen O'Sullivan. Plongée très tôt dans le milieu cinématographique (son père est réalisateur, sa mère actrice), elle fait une apparition en 1947 dans un film auprès de sa mère. Mais ses vrais premiers pas de comédienne, elle les effectue sur le plateau d'un court métrage destiné aux enfants. Trois ans plus tard, elle fait ses débuts au cinéma dans *John Paul Jones*, puis joue dans une série télévisée qui la rend populaire. A 23 ans, le premier rôle de *Rosemary's baby* la propulse au rang de star. Elle tourne alors avec les plus grands. Sa rencontre avec Woody Allen lui permet de jouer des rôles aussi divers que cocasses. Elle intervient dans plus d'une dizaine de longs métrages du réalisateur, parmi lesquels figurent *La Rose pourpre du Caire*, *Hannah et ses sœurs*, ou *Alice*. Elle devient sa compagne et sa muse. Mais douze ans plus tard, Mia Farrow quitte Woody Allen quand elle découvre des photos de sa fille adoptive, nue, dans son portefeuille. Elle se fait alors de plus en plus rare au cinéma, et joue dans plusieurs téléfilms. Depuis 2006, on la revoit sur grand écran, notamment dans la saga d'*Arthur et les minimoys* de Luc Besson.

Diane Keaton :

Née à Los Angeles le 5 janvier 1946, Diane Keaton est passionnée de cinéma depuis son plus jeune âge. A peine sortie de l'adolescence, elle quitte sa Californie natale pour s'installer à New York et décroche un rôle à Broadway dans la comédie musicale *Hair*, puis dans une pièce de Woody Allen, *Play it again, Sam*. Quelques années plus tard, le metteur en scène lui ouvre les portes du grand écran grâce à l'adaptation cinématographique de la pièce. Diane reprend son rôle de Linda. Mais c'est avec son interprétation de Kay dans *Le Parrain* qu'elle se fait connaître du grand public. Elle décroche l'oscar de la meilleure actrice en 1977 pour sa touchante interprétation d'Annie Hall. Elle devient une star et partage la vie de Woody Allen pendant dix ans. Le réalisateur lui offre alors ses rôles les plus emblématiques. Souhaitant varier ses rôles, elle recherche autant à incarner des figures comiques que des personnages dramatiques. Aujourd'hui, Diane Keaton est aussi réalisatrice avec la création de documentaire comme *Heaven* ou de films comme *Raccroche !* ou *Les Liens du souvenir*, et productrice avec *Elephant* de Gus Van Sant.

Soon-Yi Previn :

Née le 8 octobre 1970 en Corée du Sud, Soon-Yi Previn est adoptée par Mia Farrow et le chef d'orchestre André Previn. Elle devient actrice et fait scandale quand on découvre qu'elle pose nue devant Woody Allen, alors compagnon de sa mère, qu'elle épouse à Venise le 23 décembre 1997. Elle apparaît notamment dans *Wild Man Blues*, un reportage sur la tournée jazz européenne de son mari. Tous deux adoptent deux filles, Bechet Allen et Manzie Tio Allen, prénoms données en référence aux jazzmen Sidney Bechet et Manzie Johnson.

Bibliographie

• **Théâtre :**

Don't drink the water,
1967

Play it again, Sam, 1969

*God : a comedy in one
act,* 1975

Lunatic's tale, 1986

*Three one act plays :
Riverside drive, Old
saybrook, Central Park
west* (Adultères), 2003

*Writer's block :
two one act plays,* 2005

Second hand memory,
2005

Puzzle, 2007

• **Prose :**

Getting even,
1971 (Pour en finir une
bonne fois pour toutes
avec la culture, 1986)

Without feathers, 1975
(*Dieu, Shakespeare et
moi,* 2001)

Side effects, 1980
(*Destins tordus,* 1991)

Mere anarchy
(*L'erreur est humaine*),
2007

Pour aller plus loin

**http://fr.wikipedia.org/wiki/
Woody_Allen**

Biographie de Woody Allen.

www.woodyallen.com

Site officiel de Woody Allen (en
anglais) : biographie, filmographie,
bibliographie, standup, citations,
articles, essais et interviews...

www.tout-woody.com/fr/

*Woody Allen : la grande restrospective
(1971-1993).*
Pour tout savoir sur l'univers de
Woody Allen : fiches techniques,
synopsis, articles divers.

Sommaire détaillé

Crédits iconographiques

Responsable éditoriale
Lorraine AUFFRAY

Assistante d'édition
Audrey DEPLATIERE

Maquette
Aline GIRARD

Couverture
Joséphine CORMIER
Sylvain KASLIN

Impression
ERCOM

Timée-Editions
66, rue Escudier – 92100 Boulogne – France
www.timee-editions.com

Dans la collection
Beaux livres

De Gaulle, l'Esprit du possible
Yves Jégo

Merveilleux Noël
Collectif

Corrida, Regards
Christian Gabanon
Textes de François-Xavier Gauroy

Corrida, Emotions
Christian Gabanon
Textes de François-Xavier Gauroy

Mon Algérie
Jean-Claude Brialy

50 ans, et après ?!
Eric Dudan

Comics, Dans la peau des super héros
Philippe Guedj

Peuples premiers, Aux sources de l'Autre
Fabrice Delsahut

Le temps des Maharajahs
Frédéric Bottin

Diana, Princesse brisée
Patrick Weber

574,8 km/h, L'excellence ferroviaire française
Philippe Mirville

Gandhi, La liberté en marche
Irène Frain

Manga, Histoire d'un empire japonnais
Benoît Maurer

Dans la collection
Les Plus Belles Histoires

Sports et Loisirs

Vert passion
*Les 50 plus belles histoires
de l'Association Sportive de St-Etienne*
Christophe Barge et Laurent Tranier

Le Tour de France, Morceaux de bravoure
Eric Delanzy

L'Aventure des Bleus
Alain Mercier et Cyril Pocréaux

La passion de l'Olympisme
Paul Miquel

Renault, la course en tête
Robert Puyal

Terre battante
Les 50 plus belles histoires de Roland Garros
Patrice Dominguez

Zidane, maître du jeu
Etienne Labrunie

Stade de France, Entrez dans la légende
Alain Billouin

La fabuleuse histoire de la Coupe du Monde
étienne Labrunie

Le mythe Ferrari
Lionel Froissart

La magie OM
Stéphane Colineau

Golf, Instants de légende
André-jean Lafaurie

Coupe de l'America, 150 ans de défi
Grégory Magne

PSG, club capital
Daniel Riolo

Rugby, Au cœur des Bleus
Stéphane Colineau

Sciences et Découvertes

Les plus belles histoires des Trains
Collectif

Les Aventuriers de l'Energie
Les 100 plus belles histoires de l'électricité
Nicolas Viot

Des Métaux et des Hommes
Les 50 plus belles histoires de la chaudronnerie
Louise Haroun

Dans les pas des Bâtisseurs
Xavier Bezançon

La Nature dans tous ses états
Les 50 plus belles histoires de l'environnement
Guersendre Nagy

TGV, en route vers le futur :